Hartmann von Aue

Der arme Heinrich

Mittelhochdeutscher Text
und Übertragung

Herausgegeben und
übersetzt von
Helmut de Boor

 Fischer
Taschenbuch
Verlag

Mit einem Nachwort von Helmut de Boor

Fischer Taschenbuch Verlag
  1.– 16. Tausend: Juni 1963
17.– 21. Tausend: Februar 1965
22.– 37. Tausend: Mai 1967
38.– 44. Tausend: Oktober 1967
45.– 52. Tausend: Dezember 1968
53.– 60. Tausend: Januar 1970
61.– 67. Tausend: Juni 1971
68.– 72. Tausend: November 1972
73.– 77. Tausend: September 1973
78.– 82. Tausend: Februar 1975
83.– 87. Tausend: Januar 1976
88.– 92. Tausend: März 1977
93.– 97. Tausend: September 1978
98.–102. Tausend: Februar 1980
Umschlagentwurf: W. Reniem

Fischer Taschenbuch Verlag GmbH, Frankfurt am Main
Gesamtherstellung: Hanseatische Druckanstalt GmbH, Hamburg
Printed in Germany
480-ISBN-3-596-26138-4

DER ARME HEINRICH

Ein ritter sô gelêret was,

daz er an den buochen las,

swaz er dar an geschriben vant;

der was Hartman genant.

5   dienstman was er ze Ouwe.

er nam im manige schouwe

an mislîchen buochen;

dar an begunde er suochen,

ob er iht des funde,

10 dâ mite er swære stunde

möhte senfter machen,

und von sô gewanten sachen,

daz gotes êren töhte

und dâ mite er sich möhte

15 gelieben den liuten.

nu beginnet er iu diuten

ein rede die er geschriben vant.

dar umbe hât er sich genant,

daz er sîner arbeit,

20 die er dar an hât geleit,

iht âne lôn belîbe,

und swer nâch sînem lîbe

sî hœre sagen oder lese,

6

Ein Ritter besaß solche Schulbildung,
daß er in den Büchern lesen konnte,
alles was er darin geschrieben fand.
Er war Hartmann genannt
und war Lehnsmann zu Aue.
Er sah sich eifrig
in verschiedenen Büchern um
und begann darin zu suchen,
ob er etwas derartiges fände,
womit er bedrückte Stunden
leichter machen könnte
und das von solchen Dingen handelte,
daß es zu Gottes Ehre taugte,
und womit er sich zugleich
den Menschen angenehm machen könnte.
Jetzt beginnt er euch eine Geschichte vorzutragen,
die er geschrieben gefunden hat.
Er hat sich deswegen genannt,
damit er für seine Mühe,
die er daran gewendet hat,
nicht ohne Lohn bleibe
und damit, wer nach seinem (des Dichters) Tode
sein Werk vortragen hört oder es liest,

daz er im bittende wese

25 der sêle heiles hin ze gote.

man giht, er sî sîn selbes bote

unde erloese sich dâ mite,

swer für des andern schulde bite.

Er las diz selbe maere,

30 wie ein herre waere

ze Swâben gesezzen:

an dem enwas vergezzen

deheiner der tugende,

die ein ritter in sîner jugende

35 zu vollem lobe haben sol.

man sprach dô niemen alsô wol

in allen den landen.

er hatte ze sînen handen

geburt und dar zuo rîcheit:

40 ouch was sîn tugent vil breit.

swie ganz sîn habe waere,

sîn geburt unwandelbaere

und wol den fürsten gelîch,

doch was er unnâch also rîch

45 der geburt und des guotes

so der êren und des muotes.

   Sîn name was erkennelich:

er hiez der herre Heinrich

und was von Ouwe geborn.

sîn herze hâte versworn

valsch und alle dörperheit

in seinem Gebet bei Gott
seines Seelenheils gedenke.
Man sagt ja, der sei sein eigener Bote
und erlöse sich selber damit,
der für die Schuld eines anderen betet.
  Er las diese Erzählung,
wie ein Edelmann
in Schwaben gesessen war.
An dem vermißte man
keinen der Vorzüge,
die ein Ritter in seiner Jugend
haben muß, um vollen Ruhm zu erwerben.
Von niemandem sagte man damals
rings in allen Landen so viel Gutes.
Ihm standen edle Geburt
und Reichtum zu Gebote;
dazu besaß er die besten Fähigkeiten.
Doch wie vollkommen sein Besitz auch war,
wie unantastbar seine Herkunft,
die ihn wohl den Fürsten gleichstellte,
so war er doch bei weitem nicht so reich
an Geburt und Besitz
wie an Ehre und Gesinnung.
  Sein Name verdient, bekannt zu werden:
er hieß der edle Herr Heinrich
und war von Aue gebürtig.
Sein Herz hatte abgeschworen
aller Falschheit und Ungeschliffenheit

und behielt ouch vaste den eit

stæte unz an sîn ende.

ân alle missewende

55   stuont sîn êre und sîn leben.

im was der rehte wunsch gegeben

zu werltlîchen êren.

die kunde er wol gemêren

mit aller hande reiner tugent.

60   er was ein bluome der jugent,

der werlte fröude ein spiegelglas,

stæter triuwe ein adamas,

ein ganziu krône der zuht.

er was der nôthaften fluht,

65   ein schilt sîner mâge,

der milte ein glîchiu wâge:

ime enwart über noch gebrast.

er truoc den arbeitsamen last

der êren über rücke.

70   er was des râtes brücke

und sanc vil wol von minnen.

alsus kund er gewinnen

der werlte lop unde prîs:

er was hövesch und dar zuo wîs.

75   Dô der herre Heinrich

alsus geniete sich

êren unde guotes

und frœlîches muotes

und werltlîcher wünne

und hielt an diesem Eid
auch unverbrüchlich fest bis an sein Ende.
Ohne Makel war
seine Ehre und sein Leben.
Ihm war die ganze Fülle
der Ehren dieser Welt gegeben,
und er konnte sie noch steigern
durch die Lauterkeit all seines Verhaltens.
Er war eine Blüte der Jugend,
ein Spiegelglas der Weltfreude,
ein Diamant beständiger Treue,
eine vollkommene Krone der Zucht.
Er war die Zuflucht der Bedrängten,
ein Schild seiner Verwandten,
eine gleichschwebende Waage der Freigebigkeit;
Verschwendung und Kargheit waren ihm fremd.
Er trug die mühsame Last
der Ehre auf dem Rücken.
Er war eine Brücke des Rates
und verstand sich gut auf Minnesang.
So konnte er Lob und Preis
der Welt gewinnen:
er war fein gebildet und auch klug.
  Als der Herr Heinrich
sich so erfreute
an Ehren und Besitz,
an fröhlichem Herzen
und der Wonne der Welt

80 (er was für al sîn künne
   geprîset unde geêret),
   sîn hôchmuot wart verkêret
   in ein leben gar geneiget.
   an im wart erzeiget,
85 als ouch an Absalône,
   daz diu üppige krône
   werltlîcher süeze
   vellet under die füeze
   ab ir besten werdekeit,
90 als uns diu schrift hât geseit.
   ez sprichet an einer stat dâ:
   »mêdiâ vitâ
   in morte sûmus.«
   daz bediutet sich alsus,
95 daz wir in dem tôde sweben,
   sô wir aller beste wænen leben.
     Dirre werlte veste,
   ir stæte unde ir beste
   unde ir grœste magenkraft
100 diu stât âne meisterschaft.
   des muge wir an der kerzen sehen
   ein wârez bilde geschehen,
   daz sî zeiner aschen wirt,
   enmitten dô sî lieht birt.
105 wir sîn von brœden sachen.
   nû sehet, wie unser lachen
   mit weinen erlischet.

– er war über alle die Seinen
gepriesen und geehrt –,
da wurde sein hohes Selbstgefühl
in ein tiefgebeugtes Leben verwandelt.
An ihm erwies sich,
wie auch an Absalom,
daß die üppige Krone
weltlicher Wonnen
von ihrer höchsten Würde
[in den Staub] unter den Füßen fällt,
wie es uns die Schrift verkündet hat.
Es heißt dort an einer Stelle:
media vita
in morte sumus.
Das bedeutet,
daß wir im Tode schweben,
wenn wir am allerbesten zu leben wähnen.
  Die Festigkeit dieser Welt,
ihre beständige, ihre beste,
ihre stolzeste Herrlichkeit
erweist sich als machtlos.
Dafür können wir, was an der Kerze geschieht,
als ein wahres Abbild nehmen:
daß sie zu Asche wird,
gerade während sie Licht gibt.
Wir sind aus hinfälligem Stoff gemacht.
Seht doch, wie unser Lachen
in Weinen erlischt.

unser süeze ist gemischet
mit bitterer gallen.

110 unser bluome der muoz vallen,
so er allergrüenest wænet sîn.

an hern Heinrich wart wol schîn:
der in dem hœhsten werde
lebet ûf dirre erde,

115 derst der versmâhte vor gote.
er viel von sînem gebote
ab sîner besten werdekeit
in ein smæhelîchez leit:
in ergreif diu miselsuht.

120 dô man die swæren gotes zuht
gesach an sînem lîbe,
manne unde wîbe
wart er dô widerzæme.
nû sehet, wie genæme

125 er ê der werlte wære,
und wart nû als unmære,
daz in niemen gerne ane sach:
als ouch Jôbe geschach,
dem edeln und dem rîchen,

130 der ouch vil jæmerlîchen
dem miste wart ze teile
mitten in sînem heile.

Dô der arme Heinrich
alrêst verstuont sich,

135 daz er der werlte widerstuont,

Unsere Süßigkeit ist gemischt
mit bitterer Galle.
Unsere Blüte muß abfallen,
wenn sie am frischesten zu sein wähnt.
An Herrn Heinrich wurde es wohl offenbar:
Wer in dem höchsten Ansehen
auf dieser Erde lebt,
der ist vor Gott ein Verschmähter.
Er fiel durch Gottes Gebot
von der Höhe seines Ansehens
in ein erniedrigendes Leiden:
Ihn ergriff der Aussatz.
Als man die schwere Züchtigung Gottes
an seinem Leibe gewahr wurde,
da wurde er Männern und Frauen
widerwärtig.
Nun seht, wie angenehm
er vorher der Welt gewesen war;
und jetzt wurde er so verabscheut,
daß ihn niemand gerne ansah.
So geschah es auch Hiob,
dem edlen und reichen,
der auch aufs jammervollste
mitten in seinem Glück
dem Mist anheimfiel.
Und als der arme Heinrich
zuerst gewahr wurde,
daß er jedermann widerstand

als alle sîne gelîchen tuont,

dô schiet in sîn bitter leit

von Jôbes geduldikeit.

wan ez leit Jôb der guote

140 mit geduldigem muote,

dôz ime ze lîdenne geschach,

durch der sêle gemach

den siechtuom und die smâcheit,

die er von der werlte leit:

145 des lobet er got und fröute sich.

dô tet der arme Heinrich

leider niender alsô:

wan er was trûrec unde unfrô.

sîn swebendez herze daz verswanc,

150 sîn swimmendiu fröude ertranc,

sîn hôchvart muose vallen,

sîn honec wart ze gallen.

ein swinde vinster donerslac

zebrach im sînen mitten tac;

155 ein trüebez wolken unde dic

bedaht im sîner sunnen blic.

er sente sich vil sêre

daz er sô manege êre

hinder im muose lâzen.

160 verfluochet und verwâzen

wart vil dicke der tac,

dâ sîn geburt ane lac.

Ein wênic fröuwete er sich doch

wie alle seine Leidensgenossen,

da unterschied ihn seine Erbitterung

von Hiobs Geduld.

Denn Hiob, der verehrenswerte,

trug mit geduldigem Sinn,

als das Leiden über ihn kam,

um des Heils der Seele willen

das Siechtum und die Erniedrigung,

die er durch die Welt erlitt:

dafür lobte er Gott und freute sich.

Dagegen tat der arme Heinrich

leider nicht dasselbe;

sondern er war traurig und bedrückt.

Sein schwebendes Herz vergaß den Flug,

seine schwimmende Freude sank in die Tiefe,

sein Selbstgefühl mußte zur Erde fallen,

sein Honig ward zur Galle.

Ein rascher finsterer Donnerschlag

zerbrach ihm seinen Mittag;

eine trübe, dichte Wolke

verdeckte ihm den Glanz seiner Sonne.

Er grämte sich sehr,

daß er so viele Ehren

hinter sich lassen mußte.

Verflucht und verwünscht

wurde oft der Tag,

an dem seine Geburt geschehen war.

　Ein wenig richtete er sich doch

von einem trôste dannoch;
165 wan im wart dicke geseit,
daz disiu selbe siecheit
wære vil mislîch
und etelîchiu genislîch.
des wart vil maneger slahte
170 sîn gedinge und sîn ahte.
er gedâhte, daz er wære
vil lîhte genisbære,
und fuor alsô drâte
nâch der arzâte râte
175 gegen Munpasiliere.
dâ vant er vil schiere
niuwan den untrôst,
daz er niemer würde erlôst.
Daz hôrte er ungerne
180 und fuor gegen Sâlerne
und suochte ouch dâ durch genist
der wîsen arzâte list.
den besten meister er dâ vant,
der seite im zehant
185 ein seltsæne mære,
daz er genislîch wære
und wær doch iemer ungenesen.
dô sprach er: »wie mac daz wesen?
bin ich genislîch,
190 sehet, sô genise ich,
und swaz mir für wirt geleit

18

damals noch an einem Trost auf;

denn oft wurde ihm gesagt,

daß diese Krankheit

von sehr unterschiedlicher Art sei

und in manchen Fällen zu heilen wäre.

Deswegen hatte er mancherlei

Hoffnungen und Überlegungen.

Er dachte, daß er

vielleicht heilbar wäre,

und reiste eilends

auf den Rat der Ärzte

nach Montpellier.

Dort erhielt er bald

nichts als die trostlose Auskunft,

daß er nie wieder hergestellt werden würde.

  Das hörte er ungern

und reiste nach Salerno

und suchte auch dort zu seiner Heilung

die Kunst der weisen Ärzte auf.

Der beste Meister, den er dort fand,

der gab ihm sogleich

eine seltsame Auskunft:

daß er heilbar wäre

und doch immer ungeheilt bleiben würde.

Da sprach er: »Wie kann das sein?

Bin ich heilbar,

seht, so werde ich auch geheilt,

und was mir auferlegt wird

von guote oder von arbeit,
daz trûwe ich vollebringen.«
»nû lât daz gedingen«,
195 sprach der meister aber dô,
»iuwer sühte ist also:
(was frumet daz ichz iu kunt tuo?)
dâ hœret arzenîe zuo,
des wæret ir genislîch.
200 nu enist aber nieman sô rîch
noch von sô starken sinnen,
der sî müge gewinnen.
des sît ir iemer ungenesen,
got welle denne der arzât wesen.«
205 Dô sprach der arme Heinrich:
»war umbe untrœstet ir mich?
jâ hân ich guotes wol die kraft:
ir enwellet iuwer meisterschaft
und iuwer reht brechen
210 und dar zuo versprechen
beidiu mîn silber und mîn golt,
ich mache iuch mir alsô holt,
daz ir mich harte gerne ernert.«
»mir wære der wille unerwert«,
215 sprach der meister aber dô,
»und wære der arzenîe alsô,
daz man sî veile funde
oder daz man sî kunde
mit deheinen dingen erwerben,

an Aufwand oder an Schmerzen,
das meine ich leisten zu können.«
»Laßt nur diese Hoffnung fahren«,
erwiderte der Meister.
»Mit eurer Krankheit ist es so bestellt
– was hilft's, daß ich's euch kundtue –:
Es gehört eine Arznei dazu,
davon könntet ihr genesen.
Nun ist aber niemand so reich,
noch von so großer Klugheit,
daß er sie beschaffen könnte.
Darum bleibt ihr immer ungeheilt,
wenn nicht Gott der Arzt sein will.«
  Da sprach der arme Heinrich:
»Warum nehmt ihr mir meine Zuversicht?
Ich habe wahrlich Reichtum in Fülle.
Wenn ihr nicht gegen eure ärztliche Kunst
und eure Pflicht verstoßen wollt
und wenn ihr auch mein Silber und mein Gold
nicht ablehnen wollt,
dann mache ich euch mir so gewogen,
daß ihr mich sehr gerne heilt.«
»An gutem Willen sollte es mir nicht fehlen«,
erwiderte der Meister darauf.
»Und wäre die Arznei so,
daß man sie käuflich fände
oder daß man sie sonst
auf irgendeine Weise erwerben könnte,

220 ich enlieze iuch niht verderben.

nu enmac des leider niht sîn.

dâ von muoz iu diu helfe mîn

durch alle nôt sîn versaget.

ir müeset haben eine maget,

225 diu vollen hîbære

und ouch des willen wære,

daz si den tôt durch iuch lite.

nu enist ez niht der liute site,

daz ez ieman gerne tuo.

230 sô hœret ouch anders niht dar zuo

niwan der megede herzebluot:

daz wære für iuwer suht guot.«

Nu erkante der arme Heinrich,

daz daz wære unmügelich,

235 daz iemen den erwürbe,

der gerne für in stürbe.

alsus was im der trôst benomen,

ûf den er dar was komen;

und dar nâch für die selben frist

240 hâte er ze sîner genist

dehein gedinge mêre.

des wart sîn herzesêre

alsô kreftec unde grôz,

daz in des aller meist verdrôz,

245 ob er langer solte leben.

er fuor heim und begunde geben

sîn erbe und ouch sîn varnde guot,

dann ließe ich euch nicht im Stich.

Nun kann das aber leider nicht sein.

Deswegen muß euch meine Hilfe
notwendig versagt bleiben.

Ihr müßtet eine Jungfrau finden,
die völlig mannbar

und dazu auch gewillt wäre,
den Tod für euch zu erleiden.

Doch liegt es nicht im Wesen der Menschen,
daß jemand das gerne täte.

Sonst gehörte nichts weiter dazu
als das Herzblut der Jungfrau:

Das wäre das Heilmittel für eure Krankheit.«

 Jetzt erkannte der arme Heinrich,
daß es unmöglich wäre,

daß jemand einen Menschen gewönne,
der gerne für ihn stürbe.

So wurde ihm die Zuversicht geraubt,
in der er dorthin gekommen war.

Und von dieser Stunde an
hatte er auf seine Genesung
keine Hoffnung mehr.

Darüber wurde der Kummer seines Herzens
so schwer und groß,

daß es ihn aufs tiefste verdroß,
noch länger leben zu müssen.

Er kehrte heim und begann
seinen Landbesitz und seine Fahrhabe zu vergaben,

als in dô sîn selbes muot
und wîser rât lêrte,
250 dâ erz aller beste kêrte.
er begunde bescheidenlîchen
sîne armen friunt rîchen
und trôste ouch frömede armen,
daz sich got erbarmen
255 geruochte über der sêle heil;
gotes hiusern viel daz ander teil.
alsus tet er sich abe
bescheidenlîche sîner habe
unz an ein geriute:
260 dar flôch er die liute.
disiu jæmerlîche geschíht,
diu was sîn eines klage niht;
in klageten elliu diu lant,
dâ er inne was erkant,
265 und ouch von fremeden landen,
die in nâch sage erkanden.
  Der ê ditz geriute
und der ez dannoch biute,
daz was ein frîer bûman,
270 der vil selten ie gewan
dehein grôz ungemach,
daz andern gebûren doch geschach,
die wirs geherret wâren,
und sî dô niht verbâren
275 beidiu mit stiure und mit bete.

24

wie es ihn sein eigenes Herz
und der Rat erfahrener Leute lehrte,
wo es am besten angebracht wäre.

Er begann wohlüberlegt
seine armen Verwandten reich zu machen
und bedachte auch fremde Arme,
auf daß Gott sich gnädig
seines Seelenheils erbarmte.

Das übrige fiel den Gotteshäusern zu.
So entledigte er sich
wohlüberlegt seines Besitzes
bis auf einen Hof auf einer Rodung.

Dorthin zog er sich vor den Menschen zurück.

Dieses traurige Geschehnis
war nicht seine Klage allein.

Alle Lande beklagten ihn,
in denen er bekannt war,
und auch Leute in der Fremde,
die nur durch Hörensagen von ihm wußten.

  Der diesen Rodhof seit je bewirtschaftet hatte
und es auch damals noch tat,
das war ein freier Bauer,
dem noch niemals
eine schwere Bedrückung widerfahren war,
wie es anderen Bauern wohl erging,
die härtere Herren hatten,
die sie mit Steuern und Abgaben
nicht verschonten.

swaz dirre gebûre gerne tete,
des dûhte sînen herren gnuoc.
dar zuo er in übertruoc,
daz er deheine arbeit
280 von fremedem gewalte leit.
des was deheiner sîn gelîch
in dem lande alsô rîch.
zuo dem zôch sich
sîn herre, der arme Heinrich.
285 swaz er in vor hete gespart,
wie wol daz nû gedienet wart
und wie schône er sîn genôz!
wan in vil lützel des verdrôz,
swaz ime geschæhe durch in.
290 er hete die triuwe und ouch den sin,
daz er vil willeclîche leit
den kumber und die arbeit,
diu ime ze lîdenne geschach:
er schuof ime rîch gemach.
295 Got hete dem meier gegeben
nâch sîner ahte ein reinez leben.
er het ein wol erbeiten lîp
und ein wol werbendez wîp,
dar zuo het er schœniu kint,
300 diu gar des mannes fröude sint,
unde hete, sô man saget,
under den eine maget,
ein kint von ahte jâren.

Was dieser Bauer freiwillig leistete,
das dünkte seinen Herrn genug.

Auch hielt er seine Hand über ihm,
so daß er keine Belästigung
durch fremde Übergriffe erlitt.

Daher war keiner seines Standes
im Lande so wohlhabend.

Zu diesem Bauern zog sich
sein Herr, der arme Heinrich, zurück.

Die Schonung, die er ihm bisher hatte angedeihen lassen,
wie reichlich wurde sie jetzt vergolten
und wie schön kam sie ihm zugute!

Denn der Bauer ließ sich nichts verdrießen,
was ihm um seinetwillen zustoßen konnte.

Er war so treu und so bedacht,
daß er willig
die Last und Mühe auf sich nahm,
die ihm daraus erwuchs.

Er sorgte, daß er gut aufgehoben war.

  Gott hatte dem Meier
seinem Stande entsprechend ein glückliches Leben geschenkt.

Er hatte arbeitsfähige Glieder
und ein rechtschaffenes Weib.

Dazu hatte er schöne Kinder,
die so recht die Freude des Mannes sind.

Er hatte, wie man erzählt,
unter ihnen ein Mädchen,
ein Kind von acht Jahren.

daz kunde gebâren
305 sô rehte güetlîchen.
diu wolte nie entwîchen
von ir herren einen fuoz.
umbe sîne hulde und sînen gruoz
sô diente si ime alle wege
310 mit ir güetlîchen pflege.
sî was ouch sô genæme,
daz sî wol gezæme
ze kinde dem rîche
an ir wætlîche.
315 Die andern hâten den sin,
daz sî ze rehter mâze in
wol gemîden kunden:
dô flôch si z'allen stunden
zuo ime und niender anderswar.
320 si was sîn kurzwile gar.
sî hete gar ir gemüete
mit reiner kindes güete
an ir herren gewant,
daz man sî z'allen zîten vant
325 under ir herren fuoze.
mit süezer unmuoze
wonte si ir herren bî.
dar zuo liebet er ouch sî,
swâ mite er mohte,
330 und daz kinden wol tohte
zuo ir kintlîchen spil,

Aus ihrem Wesen und Tun
sprach große Herzensgüte.
Sie wollte nie einen Fußbreit
von ihrem Herren weichen.
Um seine Zuneigung und seinen Gruß
diente sie ihm allerwegen
mit ihrer liebevollen Fürsorge.
Auch war sie so liebreizend,
daß sie in ihrer anmutigen Schönheit
selbst dem Kaiser
als Kind angestanden hätte.
  Die anderen waren darauf bedacht,
wie sie ihn nach Möglichkeit
meiden könnten.
Sie hingegen eilte jederzeit
zu ihm und nirgend anderswohin.
Sie war seine einzige Unterhaltung.
Sie hatte ihr Herz
mit kindlich reiner Hingabe
ihrem Herrn zugewandt,
so daß man sie jederzeit
zu ihres Herren Füßen fand.
Mit reizender Geschäftigkeit
umsorgte sie ihren Herrn.
Ebenso erfreute auch er sie
mit allem, was er konnte.
Und was wohl Kindern
für ihr kindliches Spiel taugte,

des gap der herre ir vil.

ouch half in sêre, daz diu kint

sô lîhte ze gewenenne sint.

335 er gewan ir, swaz er veile vant:

spiegel unde hârbant,

und swaz kinden liep solte sîn,

gürtel unde vingerlîn.

mit dienste brâht ers ûf die vart,

340 daz si im alsô heimlîch wart,

daz er sî sîn gemahel hiez.

diu guote maget in liez

belîben selten eine:

er dûhte sî vil reine.

345 swie starke ir daz geriete

diu kindische miete,

iedoch geliebete irz aller meist

von gotes gebe ein süezer geist.

Ir dienest was so güetlich.

350 dô der arme Heinrich

driu jâr dâ getwelte

unde im got gequelte

mit grôzem sêre den lîp,

nû saz der meier und sîn wîp

355 unde ir tohter, diu maget,

von der ich iu ê hân gesaget,

bî im in ir unmüezekeit

und begunden klagen ir herren leit.

diu klage tet in michel nôt,

das schenkte ihr der Herr reichlich.
Auch half es ihm sehr, daß Kinder
so leicht zu gewöhnen sind.
Er kaufte ihr, was er feil fand,
Spiegel und Haarbänder
und was sonst Kindern Freude machen konnte,
Gürtel und Ringlein.
Mit seinen Gefälligkeiten brachte er sie dazu,
daß sie ihm so vertraut wurde,
daß er sie seine Braut nannte.
Das liebe Mädchen ließ ihn
niemals allein bleiben.
Ihr erschien er ganz rein.
Doch wie sehr sie auch
die kindlichen Gaben bewogen,
am meisten machte sie doch dazu geneigt
ein gottgeschenktes inniges Empfinden.
  So liebevoll war ihr Dienst.
Als der arme Heinrich
drei Jahre dort zugebracht hatte
und Gott seinen Leib
mit großem Schmerz quälte,
saßen der Meier und sein Weib
und ihre Tochter, jenes Mädchen,
von dem ich euch zuvor erzählt habe,
mit ihrer Arbeit bei ihm
und beklagten das Leid ihres Herrn.
Zu solcher Klage hatten sie auch guten Grund;

360 wan sî vorhten, daz sîn tôt

sî sêre solte letzen

und vil gar entsetzen

êren unde guotes,
und daz herters muotes

365 würde ein ander herre.

si gedâhten alsô verre,

unz daz der selbe bûman

alsus frâgen began.

  Er sprach: »lieber herre mîn,

370 möht ez mit iuwern hulden sîn,

ich frâgete vil gerne:

sô vil zuo Sâlerne

von arzenîen meister ist,

wie kumet daz ir deheines list

375 ze iuwerm ungesunde

niht gerâten kunde?

herre, des wundert mich.«

dô holte der arme Heinrich

einen tiefen sûft von herzen

380 mit bitterlîchem smerzen.

mit solher riuwe er dô sprach,

daz ime der sûft daz wort zerbrach:

  »Ich hân disen schemelîchen spot

vil wol gedienet umbe got.

385 wan dû sæhe wol hie vor,

daz hôch offen stuont mîn tor

nâch werltlîcher wünne.

denn sie fürchteten, daß sein Tod
ihnen großen Schaden bringen
und sie ihres Ansehens und Besitzes
ganz und gar berauben könnte
und daß ein anderer Herr
härteren Sinnes sein würde.
Das beschäftigte sie so sehr,
bis der Bauer
so zu fragen anhob.
　Er sprach: »Mein lieber Herr,
wenn ihr es nicht übel aufnehmt,
so möchte ich gerne etwas fragen.
Da doch in Salerno
so viele Meister der Heilkunst sind,
wie kommt es, daß keiner mit seinem Können
gegen euer Siechtum
ein Mittel hat finden können?
Herr, das wundert mich.«
Da ließ der arme Heinrich
mit bitterem Schmerz einen tiefen Seufzer
aus seinem Herzen aufsteigen.
Dann sprach er so betrübt,
daß das Seufzen ihm die Rede verschlug:
　»Ich habe diese schimpfliche Erniedrigung
um Gott wohl verdient.
Denn du hast ja früher wohl gesehen,
daß mein Tor zur Wonne der Welt
weit offen stand

ez enhete in sînem künne
sînen willen niemen baz dan ich.
390 und was daz doch unmügelich,
wan ich in hete mit vrevel gar.
dô nam ich des vil kleine war,
der mir daz selbe wunschleben
von sînen gnâden hete gegeben.
395 daz herze mir dô alsô stuont,
als alle werlttôren tuont,
den daz rætet ir muot,
daz si êre unde guot
âne got mügen hân.
400 sus trouc ouch mich mîn tumber wân,
wan ich in lützel ane sach,
von des genâden mir geschach
vil êren unde guotes.
dô des hôchmuotes
405 den hôhen portener verdrôz,
die sælden porte er mir beslôz.
dâ kume ich leider niemer in:
daz verworhte mir mîn tumber sin.
got hât durch râche an mich geleit
410 ein sus gewante siecheit,
die niemen mac erlœsen.
nu versmâhe ich den bœsen,
die biderben ruochent mîn niht.
swie bœse er ist, der mich gesiht,
415 des bœser muoz ich dannoch sîn.

und daß niemand unter seiner Verwandtschaft
eine reichere Erfüllung seiner Wünsche fand als ich.
Und doch war das unmöglich,
denn ich hatte sie mit Überheblichkeit.
Damals kümmerte ich mich wenig um den,
der mir diese Fülle des Lebens
aus seiner Gnade gegeben hatte.
Mein Sinn stand mir damals so
wie allen Welttoren,
denen das ihr törichter Sinn sagt,
daß sie Ehre und Gut
ohne Gott haben können.
So betrog auch mich meine törichte Einbildung;
denn ich achtete wenig auf ihn,
durch dessen Gnade mir
viel Ehre und Besitz zuteil geworden war.
Als diese Überhebung
den hohen Pförtner verdroß,
da verschloß er mir die Pforte des Glücks.
Ach, ich werde nie wieder hineinkommen:
Das hat mir mein törichter Sinn verwirkt.
Gott hat mir zur Strafe
ein solches Siechtum auferlegt,
das niemand wenden kann.
Jetzt bin ich den Geringen verächtlich,
und die Angesehenen kümmern sich nicht um mich.
Wie gering der ist, der mich erblickt,
so muß ich doch noch geringer sein.

sîn unwert tuot er mir schîn;

er wirfet diu ougen abe mir.

nû schînet êrst an dir

dîne triuwe, die dû hâst,

420 daz dû mich siechen bî dir lâst

und von mir niene fliuhest.

swie dû mich niht enschiuhest,

swie ich niemen liep sî wan dir,

swie vil dînes heiles stê an mir,

425 du vertrüegest doch wol mînen tôt.

nû wes unwert und wes nôt

wart ie zer werlte merre?

hie vor was ich dîn herre

und bin dîn dürftige nû.

430 mîn lieber friunt, nû koufest dû

und mîn gemahel und dîn wîp

an mir den êwigen lîp,

daz dû mich siechen bî dir lâst.

des dû mich gefrâget hâst,

435 daz sage ich dir vil gerne.

ich enkünde ze Sâlerne

deheinen meister vinden,

der sich mîn underwinden

getörste oder wolte.

440 wan dâ mite ich solte

mîner sühte genesen,

daz müeste ein solhiu sache wesen,

die in der werlte nieman

Seine Verachtung läßt er mich fühlen,
er wendet die Augen von mir ab.
Jetzt erst wird an dir
deine Treue offenbar, die du hast,
daß du mich Siechen bei dir duldest
und meine Nähe nicht fliehst.
Doch wiewohl du mich nicht meidest,
wiewohl ich niemandem lieb bin außer dir,
und wie sehr dein Glück von mir abhängt,
du würdest dich doch mit meinem Tod abfinden.
Nun sieh, wessen Nichtigkeit und Not
ward in der Welt je größer?
Vordem war ich dein Herr,
jetzt bin ich auf dich angewiesen.
Mein lieber Freund, jetzt erwirbst du
und meine Braut und dein Weib
an mir das ewige Leben,
indem du mich Siechen bei dir duldest.
Wonach du mich gefragt hast,
das sage ich dir gerne.
Ich konnte in Salerno
keinen Meister finden,
der sich meiner anzunehmen
wagte oder wünschte.
Denn das Mittel, wodurch ich
von meinem Siechtum genesen könnte,
das müßte etwas sein,
das in der Welt niemand

mit nihte gewinnen kan.
445 mir wart niht anders dâ gesaget,
wan daz ich müese hân ein maget,
diu vollen hîbære
und ouch des willen wære,
daz sî den tôt durch mich lite
450 und man sî zuo dem herzen snite;
und mir wære niht anders guot
wan von ir herzen daz bluot.
nû ist genuoc unmügelich,
daz ir deheiniu durch mich
455 gerne lîde den tôt.
dez muoz ich schäntlîche nôt
tragen unz an mîn ende.
daz mirz got schiere sende!«
    Daz er dem vater hete gesaget,
460 daz erhôrte ouch diu reine maget,
wan ez hete diu vil süeze
ir lieben herren füeze
stânde in ir schôzen.
man möhte wol genôzen
465 ir kintlîch gemüete
hin zuo der engel güete.
sîner rede nam sî war
unde marhte sî ouch gar.
si enkam von ir herzen nie,
470 unz man des nahtes slâfen gie.
dô z'ir vater füezen lac,

irgendwie gewinnen kann.
Mir wurde dort nichts anderes gesagt,
als daß ich eine Jungfrau finden müßte,
die völlig mannbar
und dazu willig wäre,
daß sie den Tod für mich erlitte,
indem man ihr zum Herzen schnitte.
Denn nichts anderes wäre für mich gut
als das Blut aus ihrem Herzen.
Nun ist es ganz unmöglich,
daß irgendeine um meinetwillen
den Tod gerne erlitte.
Daher muß ich die schmachvolle Not
bis an mein Ende ertragen.
Möchte Gott es mir bald senden!«
  Was er dem Vater gesagt hatte,
das hörte auch das reine Mädchen;
denn das süße Kind hatte
die Füße ihres lieben Herrn
in seinem Schoß stehen.
Man könnte ihr kindliches Gemüt
der Güte der Engel
wohl gleichstellen.
Sie hatte seiner Rede zugehört
und merkte sie sich genau.
Sie kam nie aus ihrem Herzen,
bis man des Nachts schlafen ging.
Als sie zu den Füßen ihres Vaters lag

und ouch ir muoter, sô sî pflac,

unde sî beide entsliefen,

manegen sûft tiefen

475   holte sî von herzen.

umbe ir herren smerzen

wart ir riuwe alsô grôz,

daz ir ougen regen begôz

der slâfenden füeze.

480   sus erwahte sî diu süeze.

   Dô sî der trehene enpfunden,

frâgen sie begunden,

waz ir geschehen wære

und welher hande swære

485   sî alsô stille möhte klagen.

nu enwolte sî es in niht sagen.

dô ir vater aber tete

vil manege drô unde bete,

daz siez in müese sagen,

490   si sprach: »ir möhtet mit mir klagen.

waz kan uns mê gewerren

danne umbe unsern herren,

daz wir den suln verliesen

und mit ime verkiesen

495   beide guot und êre?

wir gewinnen niemer mêre

deheinen herren alsô guot,

der uns tuo, daz er uns tuot.«

   Sî sprâchen: »tohter, dû hâst wâr.

und ihrer Mutter, wie sie es gewohnt war,
und als sie beide eingeschlafen waren,
ließ sie manchen tiefen Seufzer
aus ihrem Herzen aufsteigen.
Über den Schmerz ihres Herren
wurde ihr Kummer so groß,
daß der Regen ihrer Augen
die Füße der Schlafenden begoß.
Damit weckte die Süße sie auf.
  Als sie die Tränen spürten,
begannen sie sie zu fragen,
was ihr geschehen sei
und was für ein Leid
sie so heimlich beklagen mochte.
Doch wollte sie es ihnen nicht sagen.
Als aber ihr Vater
immer wieder drohte und bat,
daß sie es ihm sagen sollte,
sprach sie: »Ihr solltet mit mir klagen.
Woran können wir schwerer getroffen werden
als an unserem Herren,
daß wir den verlieren sollen
und mit ihm auf Besitz
und Ansehen verzichten müssen?
Wir bekommen nie wieder
einen so guten Herren,
der für uns täte, was er für uns tut.«
  Sie sprachen: »Tochter, du hast recht.

nû frumt uns leider niht ein hâr
unser riuwe und diu klage.
liebez kint, dâ von gedage!
ez ist uns alsô leit sô dir.
leider nû enmuge wir
505 im ze keinen staten komen.
got der hât in uns benomen:
het ez iemen anders getân,
der müese unsern fluoch hân.«
  Alsus gesweigten sî sî dô.
510 die naht beleip sî unfrô
und morne allen den tac.
swes aber iemen anders pflac,
diz enkam von ir herzen nie,
unz man des andern nahtes gie
515 slâfen nâch gewonheit.
dô sî sich hâte geleit
an ir alte bettestat,
sî bereite aber ein bat
mit weinenden ougen:
520 wan sî truoc also tougen
nâhe in ir gemüete
die aller meiste güete,
die ich von kinde ie vernam.
welch kint getete ouch ie alsam?
525 des einen sî sich gar verwac:
gelebetes morne den tac,
daz sî benamen ir leben

Doch hilft uns unsere Betrübnis
und die Klage leider nicht um ein Haar.
Liebes Kind, darum sei still.
Uns ist es ebenso leid wie dir.
Aber ach, nun können wir
ihm mit nichts zustatten kommen.
Gott hat ihn uns genommen.
Hätte es jemand anders getan,
den müßte unser Fluch treffen.«
  So brachten sie sie zum Schweigen.
Die Nacht über blieb sie betrübt
und den ganzen nächsten Tag.
Was auch sonst die anderen taten,
ihr kam dies niemals aus dem Herzen,
bis man die nächste Nacht
wie gewöhnlich schlafen ging.
Als sie sich
an ihre gewohnte Bettstatt gelegt hatte,
bereitete sie wiederum ein Bad
mit den Tränen ihrer Augen;
denn sie trug verborgen
nahe an ihrem Herzen
die allergrößte Kraft des Erbarmens,
die ich von einem Kinde je gehört habe.
Welches Kind hätte je so getan?
Dies eine war ihr fester Entschluß:
wenn sie den nächsten Tag erlebte,
wollte sie gewißlich ihr Leben

umbe ir herren wolte geben.

Von dem gedanke wart sî dô
530 vil ringes muotes unde frô
und hete deheine sorge mê,
wan ein vorhte diu tete ir wê:
sô sîz ir herren sagete,
daz er dar an verzagete,
535 und swenne sîz in allen drin
getæte kunt, daz sî an in
der gehenge niht enfunde,
daz mans ir iht gunde.
Des wart sô grôz ir ungehabe,
540 daz ir muoter dar abe
unde ir vater wart erwaht
als ouch an der vordern naht.
sî rihten sich ûf zuo ir
und sprâchen: »sich, waz wirret dir?
545 dû bist vil alwære,
daz dû sô manege swære
von solher klage hâst an genomen,
der niemen mac zem ende komen.
wan lâzestû uns slâfen?«
550 sus begunden sî sî strâfen:
waz ir diu klage töhte,
die niemen doch enmöhte
verenden noch gebüezen?
sus wânden sî die süezen
555 gesweigen an derselben stunt,

44

für ihren Herren hingeben.
  Durch diesen Gedanken wurde sie
leichten Herzens und froh
und hatte keine Sorge mehr.
Nur eine Furcht quälte sie:
wenn sie es ihrem Herrn sagte,
könnte er davor zurückschrecken,
und wenn sie es ihnen allen dreien
offenbarte, könnte sie bei ihnen
nicht die Bereitschaft finden,
daß man es ihr erlaubte.
  Darüber wurde ihre Erregung so groß,
daß davon ihre Mutter
und ihr Vater geweckt wurden
wie in der vorigen Nacht.
Sie richteten sich auf und wandten sich ihr zu
und sprachen: »Sag, was fehlt dir?
Du bist sehr töricht,
daß du dir solche Klage
so sehr zu Herzen nimmst,
die doch zu nichts führt.
Warum läßt du uns nicht schlafen?«
Und so fingen sie an, sie zu schelten:
wozu ihre Klage gut wäre,
die doch niemand
enden oder bessern könnte.
So meinten sie die Süße
sogleich zum Schweigen zu bringen.

dô was ir wille in vil unkunt.

Sus antwurte in diu maget:
»als uns mîn herre hât gesaget,
sô mac man in vil wol ernern.
560 ich bin, irn welt mirz danne wern,
zuo sîner arzenîe guot.
ich bin ein maget und hân den muot,
ê ich in sihe verderben,
ich wil ê für in sterben.«

565 Von dirre rede wurdens dô
trûrec unde unfrô
beide muoter unde vater.
sîne tohter die bater,
daz sî die rede lieze
570 und ir herren gehieze,
daz sî geleisten möhte,
wan ir diz niht entöhte.

er sprach: »tohter, du bist ein kint,
und dîne triuwe die sint
575 ze grôz an disen dingen.
du enmaht es niht für bringen,
als dû uns hie hâst verjehen.
dû hâst des tôdes niht gesehen.
swenne ez dir kumet ûf die frist,
580 daz des dehein rât ist,
dû enmüezest sterben,
und möhtest dûz danne erwerben,
du lebetest gerner dannoch:

Doch war ihnen ihr Entschluß noch nicht bekannt.
  So antwortete ihnen das Mädchen:
»Wie mein Herr uns gesagt hat,
kann man ihn sehr wohl retten.
Ich bin, wenn ihr es mir nicht verwehren wollt,
zu seiner Arznei gut.
Ich bin eine Jungfrau und habe den Willen:
Ehe ich ihn umkommen sehe,
will ich lieber für ihn sterben.«
  Über diese Worte wurden
Mutter und Vater
traurig und betrübt.
Er hieß seine Tochter
solche Rede zu unterlassen
und ihrem Herrn nur zu versprechen,
was sie auch halten könnte.
Dies aber käme ihr nicht zu.
Er sprach: »Meine Tochter, du bist ein Kind,
und deine Treue
ist hierin zu groß.
Du kannst es nicht leisten,
wie du es uns eben gesagt hast.
Du hast den Tod noch nicht gesehen.
Wenn es für dich einmal so weit kommt,
und es ist unabwendlich,
daß du sterben mußt,
und dir böte sich noch eine Möglichkeit,
du würdest immer noch lieber leben.

du enkæme nie in leider loch.

585 dâ von tuo zuo dînen munt!
und wirstû für dise stunt
der rede iemer mêre lût,
ez gât dir ûf dîne hût.«
alsus sô wânde er sî dô
590 beidiu mit bete und mit drô
gesweigen: dô enmohter.
sus antwurte im sîn tohter:
»Vater mîn, swie tump ich sî,
mir wonet iedoch diu witze bî,
595 daz ich von sage wol die nôt
erkenne, daz des lîbes tôt
ist starc unde strenge.
swer ouch dan die lenge
mit arbeiten leben sol,
600 dem ist iedoch niht ze wol,
wan swenne er hie geringet
und ûf sîn alter bringet
den lîp mit mîcheler nôt,
sô muoz er lîden doch den tôt.
605 ist ime diu sêle dan verlorn,
sô wære er bezzer ungeborn.
ez ist mir komen ûf daz zil,
des ich got iemer loben wil,
daz ich den jungen lîp mac geben
610 umb daz êwige leben.
nû sult ir mirz niht leiden.

Denn du kamst nie in einen schlimmeren Kerker.
Halt darum deinen Mund!
Und wenn du künftig
noch einmal davon zu reden anfängst,
bekommt deine Haut es zu spüren.«
So meinte er sie
mit Bitte und Drohung
zum Schweigen zu bringen; aber er konnte es nicht.
So antwortete ihm seine Tochter:
   »Lieber Vater, wie unerfahren ich auch bin,
so habe ich doch soviel Verstand,
daß ich vom Hörensagen die Not wohl kenne,
daß der Tod des Leibes
stark und hart ist.
Doch wer auf die Dauer
in Mühsal leben muß,
dem ist auch nicht allzu wohl.
Denn wenn er sich hier abquält
und sein Leben mit Müh und Not
bis zu seinem Alter bringt,
so muß er schließlich doch den Tod erleiden.
Und wenn seine Seele dann verloren ist,
so wäre er besser nicht geboren.
Mir aber bietet sich die Möglichkeit,
wofür ich Gott immer loben will,
daß ich den Leib in der Jugend
für das ewige Leben hingeben kann.
Und das sollt ihr mir nicht verwehren.

ich wil mir und iu beiden
vil harte wol mite varn.
ich mac iuch eine wol bewarn
615 vor schaden und vor leide,
als ich iu nû bescheide.
ir hât êre unde guot:
daz meinet mînes herren muot,
wan er iu leit nie gesprach
620 und ouch daz guot nie abe gebrach.
die wîle daz er leben sol,
sô stêt iuwer sache wol.
und lâze wir den sterben
sô müezen wir verderben.
625 den wil ich uns fristen
mit alsô schœnen listen,
dâ mite wir alle sîn genesen.
nû gunnet mirs, wan ez muoz wesen.«
    Diu muoter weinende sprach,
630 dô sî der tohter ernest sach:
»gedenke, tohter, liebez kint,
wie grôz die arbeite sint,
die ich durch dich erliten hân,
und lâ mich bezzern lôn enpfân,
635 dan ich dich hœre sprechen.
dû wilt mîn herze brechen.
senfte mir der rede ein teil.
jâ wiltû allez dîn heil
an uns verwürken wider got.

Ich will mir und euch beiden
damit etwas sehr Gutes tun.
Ich allein kann euch
vor Schaden und Leid bewahren,
wie ich euch jetzt erklären will.
Ihr habt Ehre und Besitz,
nämlich die Gesinnung unseres Herrn;
denn er hat euch noch nie gekränkt
und euch auch nie an eurem Besitz geschmälert.
Solange er leben darf,
steht es um euch gut.
Lassen wir ihn aber sterben,
so müssen wir verderben.
Ihn will ich uns
so wohlbedacht erhalten,
daß uns allen damit geholfen ist.
Drum erlaubt es mir, denn es muß sein.«
  Die Mutter sprach weinend,
als sie den Ernst der Tochter erkannte:
»Denk daran, Tochter, mein liebes Kind,
wie groß die Schmerzen sind,
die ich um deinetwillen erlitten habe,
und laß mich einen besseren Lohn empfangen
als den, von dem ich dich reden höre.
Du willst mir mein Herz brechen.
Lindere mir ein wenig [die Bitterkeit] deines Vorhabens.
Du willst wahrlich all dein Heil bei Gott
durch das verwirken, was du uns antust.

640 wan gedenkest dû an sîn gebot?

jâ gebôt er unde bater,

daz man muoter unde vater

minne und êre biete,

und geheizet daz ze miete,

645 daz der sêle rât werde

und lanclîp ûf der erde.

dû gihest, dû wellest dîn leben

durch unser beider fröude geben:

dû wilt iedoch uns beiden

650 daz leben vaste leiden.

daz dîn vater unde ich

gerne leben, daz ist durch dich.

waz solte uns lîp unde guot,

waz solte uns werltlîcher muot,

655 swenne wir dîn enbæren?

dû ensolt uns niht swæren.

jâ soltû, liebiu tohter mîn,

unser beider fröude sîn,

unser liebe âne leide,

660 unser liehtiu ougenweide,

gar unsers lîbes wünne,

ein bluome in dînem künne,

unsers alters ein stap,

und lâstû uns über dîn grap

665 gestân von dînen schulden,

dû muost von gotes hulden

iemer sîn gescheiden:

Denke doch an sein Gebot!
Hat er doch geboten und verlangt,
daß man Mutter und Vater
Liebe und Ehre erweisen soll.
Und er verheißt dies als Lohn:
Rettung der Seele
und ein langes Leben auf Erden.
Du sagst, du wollest dein Leben
für unser beider Freude hingeben.
Nein, du willst uns beiden
das Leben ganz verleiden.
Wenn dein Vater und ich
gerne leben, so geschieht es um deinetwillen.
Was sollte uns Leib und Gut,
was sollte uns die Lust an der Welt,
wenn wir dich entbehren müßten?
Mach uns keinen solchen Kummer.
Ja, meine liebe Tochter,
du sollst unser beider Freude sein,
unsere Lust ohne Leid,
unsere lichte Augenweide,
unseres Lebens Wonne,
eine Blüte in deiner Verwandtschaft,
ein Stab unseres Alters.
Und wenn du uns durch deine Schuld
an dein Grab treten läßt,
so wirst du von Gottes Huld
immer ausgeschlossen sein.

daz koufest an uns beiden.

wiltû uns, tohter, wesen guot,

670 sô soltû rede und den muot

durch unsers herren hulde lân,

diu ich von dir vernomen hân.«

Si sprach: »muoter, ich getrûwe dir

und mînem vater her ze mir

675 aller der genâden wol,

der vater unde muoter sol

leisten ir kinde,

als ich ez wol bevinde

an iu aller tegelich.

680 von gotes gnâden hân ich

die sêle und einen schœnen lîp.

mich lobet man unde wîp

und alle, die mich sehende sint,

ich sî daz schœneste kint,

685 daz sî zir lebene haben gesehen.

wem solte ich der genâden jehen

niuwan iu zwein nâch gote?

des sol ich z'iuwerem gebote

iemêr vil gerne stân.

690 wie michel reht ich des hân!

muoter, sæligez wîp,

sît ich nû sêle unde lîp

von iuwern genâden hân,

sô lâtez an iuwern hulden stân,

695 daz ich ouch diu beide

54

Das erwirbst du an uns beiden!
Willst du, meine Tochter, uns Gutes tun,
so sollst du um unseres Herrgotts Huld willen
die Absicht und den Entschluß aufgeben,
die ich von dir vernommen habe.«

 Sie sprach: »Mutter, ich traue dir
und meinem Vater für mich
alle die Fürsorge zu,
die Vater und Mutter
für ihr Kind aufbringen sollen,
wie ich es von euch
tagtäglich erfahre.
Durch Gottes Gnade habe ich
die Seele und einen schönen Leib.
Männer und Frauen preisen mich,
alle, die mich erblicken,
ich sei das schönste Kind,
das sie in ihrem Leben gesehen hätten.
Wem sollte ich diese Gnadengabe zuschreiben,
wenn nicht, nächst Gott, euch beiden?
Darum will ich eurem Gebot
immer gerne gehorsam sein.
Wie sehr bin ich dazu verpflichtet!
Mutter, du liebe Frau,
da ich nun Seele und Leib
euch zu verdanken habe,
so gebt mir eure Zustimmung,
daß ich diese beiden auch

von dem tiuvel scheide
und mich gote müeze geben.

jâ ist dirre werlte leben
niuwan der sêle verlust.

700 ouch hât mich werltlîch gelust
unz her noch niht berüeret,
der hin zer helle füeret.

nû wil ich gote gnâde sagen,
daz er in mînen jungen tagen

705 mir die sinne hât gegeben,
daz ich ûf diz brœde leben
ahte harte kleine.

ich wil mich alsus reine
antwürten in gotes gewalt.

710 ich fürhte, solt ich werden alt,
daz mich der werlte süeze
zuhte under die füeze,

als si vil manegen hât gezogen,
den ouch ir süeze hât betrogen;

715 sô würde ich lîhte gote entsaget.

gote müeze ez sîn geklaget,
daz ich unz morne leben sol.

mir behaget diu werlt niht sô wol.

ir gemach ist michel arbeit,
720 ir meiste liep ist herzeleit,
ir süezer lôn ein bitter nôt,
ir lanclîp ein gæher tôt.

wir hân niht gewisses mê

dem Teufel entziehe
und mich Gott ergeben darf.
Ist doch das Leben dieser Welt
nichts als der Verderb der Seele.
Auch hat mich irdisches Gelüst
bisher noch nicht berührt,
das zur Hölle führt.
Jetzt will ich Gott dafür Dank sagen,
daß er mir in meinen jungen Tagen
die Einsicht geschenkt hat,
daß ich dieses hinfällige Leben
gar gering achte.
So rein will ich mich
in Gottes Gewalt überantworten.
Ich fürchte, wenn ich älter werden sollte,
könnte mich die süße Lockung der Welt
zu ihren Füßen zwingen,
wie sie schon so manchen gezwungen hat,
den ihre Süßigkeit auch betrogen hat.
Dann würde ich vielleicht Gott abgesprochen.
Gott soll es geklagt sein,
daß ich noch bis morgen leben muß.
Mir gefällt die Welt gar nicht so gut:
ihr Wohlbehagen ist große Mühsal,
ihre größte Freude Herzeleid,
ihr süßer Lohn bittere Not,
ihr langes Leben ein jäher Tod.
Wir haben keine andere Gewißheit

wan hiute wol und morne wê

725 und ie ze jungest der tôt.

daz ist ein jæmerlîchiu nôt.

ez enschirmet geburt noch guot,

schœne, sterke, hôher muot;

ez enfrumet tugent noch êre

730 für den tôt niht mêre

dan ungeburt und untugent.

unser leben und unser jugent

ist ein nebel unde ein stoup;

unser stæte bibet als ein loup.

735 er ist ein vil verschaffen gouch,

der gerne in sich vazzet rouch,

ez sî wîp oder man,

der diz niht wol bedenken kan

und der werlde nâch volgende ist.

740 wan uns ist über den fûlen mist

der pfellel hie gespreitet.

swen nû der blic verleitet,

der ist ze der helle geborn

unde enhât niht mê verlorn

745 wan beide sêle unde lîp.

nû gedenket, sæligez wîp,

müeterlîcher triuwe

und senftet iuwer riuwe,

die ir dâ habet umbe mich;

750 so bedenket ouch der vater sich.

der ist ein alsô wîser man,

als: heute Wohl und morgen Weh
und immer zuletzt den Tod.
Das ist ein Jammer und eine Not.
Da schützt nicht Geburt noch Besitz,
Schönheit, Stärke, Daseinslust,
da helfen Tugend und Ehre
wider den Tod nicht mehr
als niedrige Geburt und Untugend.
Unser Leben und unsere Jugend
sind ein Nebel und ein Staub,
unsere Festigkeit bebt wie Laub.
Der ist ein unseliger Tor,
der gerne Rauch schluckt,
es sei Weib oder Mann,
der dies nicht wohl bedenken kann
und der Welt nachläuft.
Denn uns ist über den stinkenden Mist
hier kostbares Tuch gebreitet.
Wen jetzt dieser Glanz verführt,
der ist zur Hölle geboren
und hat nicht weniger verloren
als die Seele und den Leib.
Drum denkt, liebste Mutter,
an eure mütterliche Treue
und stillt euren Kummer,
den ihr um mich habt.
Dann bedenkt sich auch der Vater.
Er ist ein so kluger Mann,

daz er mir wol heiles gan.

nu erkennet ir wol, daz ir

unlange doch mit mir

755 iuwer fröude müget hân,

ob ich joch lebende bestân.

belîbe ich âne man bî iu

zwei jâr oder driu,

sô ist mîn herre lîhte tôt,

760 und kumen in sô grôze nôt

vil lîhte von armuot,

daz ir mir alsolhez guot

z'einem man niht muget geben,

ich enmüeze alse swache leben,

765 daz ich iu lieber wære tôt.

nû geswîge wir aber der nôt,

daz uns niht enwerre

und uns mîn lieber herre

wer und alsô lange lebe,

770 unz daz man mich z'einem manne gebe,

der rîche sî unde wert:

sô ist geschehen, des ir dâ gert,

und wænet, mir sî wol geschehen.

anders hât mir mîn muot verjehen.

775 wirt er mir liep, daz ist ein nôt;

wirt er mir leit, daz ist der tôt,

sô hân ich iemer leit

und bin mit ganzer arbeit

gescheiden von gemache

daß er mir gewiß Heil gönnt.
Ihr seht ja doch ein, daß ihr
an mir doch nur noch kurze Zeit
eure Freude haben könnt,
auch wenn ich am Leben bleibe.
Wenn ich ohne Mann
noch zwei oder drei Jahre bei euch bleibe,
so ist mein Herr wahrscheinlich tot,
und wir kommen durch Armut
vielleicht in so große Not,
daß ihr mir dann zur Ehe
keine entsprechende Aussteuer geben könntet
oder ich doch so armselig leben müßte,
daß es euch lieber wäre, ich wäre tot.
Aber laßt uns von der Not gar nicht reden,
daß uns etwas zustößt,
und mein lieber Herr bleibt uns erhalten
und lebt so lange,
bis man mich einem Mann gibt,
der wohlhabend und angesehen ist:
dann ist geschehen, was ihr wünscht,
und ihr meint, es sei mir gut ergangen.
Anders hat es mir mein Herz gesagt.
Wird er mir lieb, das bringt doch Not.
Wird er mir leid, das ist der Tod.
So habe ich immer Leid,
und mit eitel Mühsal
ist mir die Annehmlichkeit des Lebens

780 mit maneger hande sache,
diu den wîben wirret
und sî ze fröuden irret.

 Nû setzet mich in den vollen rât,
der dâ niemêr zergât.

785 mîn gert ein frîer bûman,
dem ich wol mînes lîbes gan.
zewâre, dem sult ir mich geben,
sô ist geschaffen wol mîn leben.
im gât sîn pfluoc harte wol,

790 sîn hof ist alles râtes vol.
da enstirbet ros noch daz rint,
da enmüent diu weinenden kint,
da enist ze heiz noch ze kalt,
da wirt von jâren niemen alt

795 (der alte wirt junger),
da enist vrost noch hunger,
da enist deheiner slahte leit,
da ist ganziu fröude ân arbeit.
ze dem wil ich mich ziehen

800 und solhen bû fliehen,
den der schûr und der hagel sleht
und der wâc abe twæht,
mit dem man ringet unde ie ranc
swaz man daz jâr alsô lanc

805 dar ûf gearbeiten mac,
daz verliuset schiere ein halber tac.
den bû den wil ich lâzen;

durch die mancherlei Dinge versagt,
die die Frauen bekümmern
und ihre Freude beeinträchtigen.
  Darum gebt mir die volle Versorgung,
die da niemals vergeht.
Um mich wirbt ein freier Bauer,
dem ich meinen Leib gern gönne.
Ihm sollt ihr mich gewißlich geben;
dann ist für mein Leben gut gesorgt.
Sein Pflug ackert sehr gut,
sein Hof ist allen Vorrats voll.
Da stirbt nicht Roß noch Rind,
da ist kein Verdruß mit weinenden Kindern,
da ist's nicht zu heiß noch zu kalt,
da wird niemand alt an Jahren
– der Alte wird dort jünger –,
da gibt's nicht Frost noch Hunger,
da gibt es keiner Art Leiden,
da ist eitel Freude ohne Beschwer.
Zu dem will ich mich ziehen
und solche Wirtschaft meiden,
die der Schauer und der Hagel schlägt
und die Überschwemmung fortspült,
die mühselige Arbeit fordert und seit je gefordert hat.
Was man das ganze Jahr lang
darauf erarbeiten kann,
das vernichtet rasch ein halber Tag.
Solche Wirtschaft will ich hinter mir lassen,

63

er sî von mir verwâzen.

ir minnet mich, deist billich.

810 nû sihe ich gerne, daz mich

iuwer minne iht unminne.

ob ir iuch rehter sinne

an mir verstân künnet,

und ob ir mir gunnet

815 beide guotes unde êren,

sô lâzet mich kêren

ze unserm herren Jesu Krist,

des gnâde alsô stæte ist,

daz sî niemêr zergât,

820 und ouch zuo mir armen hât

alsô grôze minne

als z'einer küniginne.

   Ich sol von mînen schulden

ûz iuweren hulden

825 niemer komen, wil ez got.

ez ist gewisse sîn gebot,

daz ich iu sî undertân,

wan ich den lîp von iu hân.

daz leiste ich âne riuwe.

830 ouch sol ich mîne triuwe

an mir selber niht brechen.

ich hôrte ie daz sprechen:

swer den andern fröuwet sô,

daz er selbe wirt unfrô,

835 und swer den andern krœnet

sie sei von mir verwünscht.
Ihr liebt mich, das ist recht und billig.
Nun sähe ich gerne, daß mir
eure Liebe nicht zur Lieblosigkeit werde.
Wenn ihr begreifen könnt,
daß ich die rechte Einsicht habe,
und wenn ihr mir
Gutes und Ehre gönnt,
so erlaubt, daß ich mich
unserm Herrn Jesus Christus zukehre,
dessen Gnade so beständig ist,
daß sie niemals vergeht,
und der auch zu mir Armen
ebenso große Liebe hat
wie zu einer Königin.
  Ich will durch meine Schuld
eure Huld, will's Gott,
niemals verlieren.
Es ist sicherlich sein Gebot,
daß ich euch untertan sei,
weil ich von euch das Leben habe.
Das leiste ich unverdrossen.
Doch ich will meine Treue
gegen mich selber nicht brechen.
Ich habe immer sagen hören:
wer den andern so beglückt,
daß er selber unglücklich wird,
und wer den anderen krönt

und sich selben hœnet,
der triuwen sî joch ze vil.

wie gerne ich iu des volgen wil,
daz ich iu triuwe leiste,
840 mir selber doch die meiste.

welt ir mir wenden mîn heil,
sô lâze ich iuch ein teil
ê nâch mir geweinen,
ich enwelle mir erscheinen,
845 des ich mir selber schuldic bin.

ich wil iemêr dâ hin,
da ich volle fröude vinde.

ir habet ouch mê kinde;
diu lât iuwer fröude sîn
850 und getrœstet ir iuch mîn.

mir mac daz nieman erwern,
ich enwelle wol ernern
mînen herren unde mich.

muoter, jâ hôrte ich dich
855 klagen unde sprechen ê,
ez tæte dînem herzen wê,
soltestû ob mînem grabe stân.

des wirst du harte wol erlân:
dû stâst ob mîme grabe niht,
860 wan dâ mir der tôt geschiht,
daz enlât dich niemen sehen:
ez sol ze Sâlerne geschehen.

da sol uns viere mîn tôt

und sich selber herabwürdigt,
das sei zuviel der Treue.
Wie gerne will ich euch so weit gehorsam **sein,**
daß ich euch Treue halte,
aber mir selber doch am meisten.
Wollt ihr mir mein Heil verwehren,
so lasse ich euch eher
etwas um mich weinen,
als daß ich mir nicht klarmache,
was ich mir selber schuldig bin.
Ich will immer dorthin,
wo ich volle Freude finde.
Ihr habt ja auch noch mehr Kinder,
die laßt eure Freude sein,
und vertröstet euch über mich.
Mir kann niemand verwehren,
daß ich meinen Herrn
und mich selbst retten will.
Mutter, ich hörte dich
vorhin klagen und sagen,
es täte deinem Herzen weh,
wenn du an meinem Grabe stehen solltest.
Das bleibt dir ganz gewiß erspart.
Du wirst nicht an meinem Grabe stehen;
denn wo mir der Tod angetan wird,
das läßt dich niemand sehen;
es wird ja in Salerno geschehen.
Dort wird uns vier mein Tod

lœsen von aller slahte nôt.

865 des tôdes des genese wir,
und ich doch verre baz dan ir.«

Dô sî daz kint sâhen
zuo dem tôde alsô gâhen,
und ez sô wîslîchen sprach

870 unde menschlîch reht zerbrach,
si begunden ahten under in,
daz die wîsheit und den sin
niemêr erzeigen kunde
dehein zunge in kindes munde.

875 sî jâhen, daz der heilege geist
der rede wære ir volleist,
der ouch Sante Niclauses pflac,
dô er in der wagen lac,
und in die wîsheit lêrte,

880 daz er ze gote kêrte
sîne kintlîche güete.

sich bedâhte ir gemüete,
daz sî niht enwolden
sî wenden noch ensolden,

885 des sî sich hête an genomen:
der wille sî ir von gote komen.

von jâmer erkalte in der lîp,
dô der meier und sîn wîp
an dem bette sâzen

890 und vil gar vergâzen
durch des kindes minne

68

von jeglicher Not erlösen.
Durch den Tod werden wir gerettet,
und ich noch viel mehr als ihr.«
  Als sie das Kind
so zum Tode streben sahen
und als es so weise sprach
und gegen die menschliche Natur verstieß,
begannen sie miteinander zu überlegen,
daß solche Weisheit und solche Einsicht
niemals die Zunge
im Munde eines Kindes kundtun könne.
Sie meinten, daß der Heilige Geist
der Urheber ihrer Rede sei,
der auch in St. Nikolaus wirkte,
als er in der Wiege lag,
und ihn die Weisheit lehrte,
daß er seinen reinen Kindersinn
Gott zuwendete.
Ihr Herz bedachte sich,
daß sie sie nicht von dem
abbringen wollten oder dürften,
was sie sich vorgenommen hatte:
Dieser Entschluß sei ihr von Gott gekommen.
Vor Schmerz erstarrte ihnen der Leib,
als der Meier und sein Weib
auf dem Bett saßen
und Sprechen und Denken
aus Liebe zu ihrem Kinde

der zungen und der sinne.

sâ zuo der selben stunde

ir enwederez enkunde

895   ein einic wort gesprechen.

daz gegihte begunde brechen

die muoter vor leide.

sus gesâzen sî beide

riuwec unde unfrô,

900   unz daz sî sich bedâhten dô,

waz in ir trûren töhte:

sò man ir doch niht möhte

benemen ir willen unde ir muot,

so enwære in niht alsô guot,

905   sô daz sî irs wol gunden,

wan sî doch niht enkunden

ir niemer werden âne baz.

geviengen sî der rede haz,

ez möchte in umbe ir herren

910   vil harte wol gewerren

und verviengen anders niht dâ mite.

mit vil willeclîchem site

jâhen sî beidiu dô,

daz sî der rede wæren frô.

915   — Des fröute sich diu reine maget.

dô ez vil kûme was getaget,

dô gie sî, dâ ir herre slief,

sîn gemahel ime rief,

sî sprach: »herre, slâfet ir?«

ganz und gar vergaßen.
In jener Stunde
konnte keiner von ihnen beiden
ein einziges Wort hervorbringen.
Die Mutter wand sich
vor Schmerz in Krämpfen.
So saßen sie beide
traurig und freudlos,
bis sie sich besannen,
was ihr Trauern ihnen hülfe.
Da man sie doch nicht
von ihrem Willen und Entschluß abbringen könnte,
so wäre ihnen nichts so gut,
als daß sie es ihr erlaubten.
Denn sie könnten sie ja doch
für nichts Besseres hingeben.
Widersetzten sie sich ihrer Absicht,
so könnte es ihnen bei ihrem Herren
wohl sehr schaden,
und sie erreichten nichts anderes damit.
Bereitwillig
sagten sie da beide,
daß sie mit ihrer Absicht einverstanden wären.
  Darüber freute sich das reine Mädchen.
Kaum war der Tag angebrochen,
ging sie dorthin, wo ihr Herr schlief.
Seine Braut rief ihn an
und sprach: »Herr, schlaft ihr?«

920 »nein ich, gemahel, sage mir,
wie bistû hiute alsô fruo?«
»herre, dâ twinget mich darzuo
der jâmer iuwer siecheit.«
er sprach: »gemahel, daz ist dir leit:
925 daz erzeigest du an mir wol,
als ez dir got vergelten sol.
nune mac es dehein rât gesîn.«
»entriuwen, lieber herre mîn,
iuwer wirt vil guot rât.
930 sit ez alsus umbe iuch stât,
daz man iu gehelfen mac,
ich ensûme iuch niemer tac.
herre, ir hât uns doch gesaget,
ob ir hetet eine maget,
935 diu gerne den tôt durch iuch lite,
dâ soltet ir genesen mite.
diu wil ich weizgot selbe sîn:
iuwer leben ist nützer dan daz mîn.«
   Do genâdete ir der herre
940 des willen harte verre,
und ervolleten im diu ougen
von jâmer alsô tougen.
er sprach: »gemahel, jâ enist der tôt
iedoch niht ein senftiu nôt,
945 als dû dir lîhte hâst gedâht.
dû hâst mich des wol innen brâht,
möhtestû, dû hülfest mir.

»Nein, meine Braut, sag mir,
warum bist du heut so früh?«
»Herr, dazu zwingt mich
der Schmerz über euer Siechtum.«
Er sprach: »Meine Braut, das tut dir weh.
Das läßt du mich so liebreich spüren,
wie Gott es dir vergelten möge.
Doch gibt es dagegen keine Abhilfe.«
»Doch, lieber Herr,
euch kommt ganz gewiß Hilfe.
Da es so um euch steht,
daß man euch helfen kann,
so lasse ich euch nicht einen Tag lang warten.
Herr, ihr habt uns doch gesagt:
wenn ihr eine Jungfrau hättet,
die gerne den Tod für euch litte,
könntet ihr dadurch geheilt werden.
Die will ich, bei Gott, selber sein:
Euer Leben ist mehr wert als meines.«
 Da dankte ihr der Herr
von ganzem Herzen für ihre Absicht,
und seine Augen füllten sich
vor Leid heimlich mit Tränen.
Er sprach: »Meine Braut, der Tod ist
wahrhaftig keine gelinde Qual,
wie du es dir vielleicht gedacht hast.
Du hast mich davon überzeugt:
wenn du könntest, du würdest mir helfen.

des genüeget mich von dir.

ich erkenne dînen süezen muot;

950 dîn wille ist reine unde guot.

ich ensol ouch niht mê an dich gern.

dû maht mich des niht wol gewern,

daz dû dâ gesprochen hâst.

die triuwe, die dû an mir begâst,

955 die sol dir vergelten got.

diz wære der lantliute spot,

swaz ich mich für dise stunde

arzenîen underwunde

und mich daz niht vervienge,

960 wan als ez doch ergienge.

gemahel, dû tuost als diu kint,

diu dâ gæhes muotes sint:

swaz den kümet in den muot,

ez sî übel oder guot,

965 dar zuo ist in allen gâch,

und geriuwet sî dar nâch.

gemahel, alsô tuost ouch dû.

der rede ist dir ze muote nû:

der die von dir nemen wolte,

970 sô manz danne enden solte,

so geriuwe ez dich vil lîhte doch.«

daz sî sich ein teil noch

baz bedæhte, des bater.

er sprach: »dîn muoter und dîn vater,

975 die enmügen dîn niht wol enbern.

Das genügt mir von dir.
Ich erkenne dein liebevolles Herz.
Dein Wille ist rein und gut,
aber mehr will ich von dir nicht verlangen.
Du kannst mir das doch nicht gewähren,
wovon du gesprochen hast.
Die Treue, die du mir erweisest,
wird Gott dir vergelten.
Die Leute im Lande würden darüber spotten,
wo ich bisher schon
so viele Arzneien versucht habe,
wenn mir dann auch dieses wirkungslos bliebe,
wie es ja doch kommen würde.
Meine Braut, du tust wie die Kinder,
die raschen Sinnes sind.
Was ihnen in den Sinn kommt,
es sei schlecht oder gut,
darauf sind sie ganz versessen,
und es gereut sie hinterdrein sehr.
Meine Braut, so machst du es auch.
Dein Plan erfüllt jetzt deinen Sinn.
Wenn man ihn aber von dir annähme,
und man wollte ihn dann durchführen,
so würde es dich doch wohl gereuen.«
Daß sie sich noch ein wenig besser
bedenken sollte, darum bat er sie.
Er sprach: »Deine Mutter und dein Vater
können dich nicht gut entbehren.

ich sol ouch niht ir leides gern,
die mir ie gnâde tâten.
swaz sî dir beidiu râten,
liebe gemahele, daz tuo.«
980 hie mite lachete er dar zuo,
wan er lützel sich versach,
daz doch sîder dô geschach.

Sus sprach ir zuo er guoter.
der vater und diu muoter
985 sprâchen: »lieber herre,
ir hât uns vil verre
geliebet und geêret:
daz enwære niht wol bekêret,
wir engültenz iu mit guote.

990 unser tohter ist ze muote,
daz sî den tôt durch iuch dol;
des gunne wir ir harte wol.
sus hât siz umbe uns brâht.
si enhât sich kurze niht bedâht.

995 ez ist hiute der dritte tac,
daz sî uns allez ane lac,
daz wir ir sîn gunden:
nû hât siz an uns funden.
nû lâze iuch got mit ir genesen!
1000 wir wellen ir durch iuch entwesen.«

Dô im sîn gemahel gebôt
für sînen siechtuom ir tôt
und man ir ernest ersach,

Ich will auch nichts begehren, was sie schmerzt,
die mir immer Gutes getan haben.
Was sie beide dir raten,
meine liebe Braut, das tu.«
Damit ging er lachend darüber hin,
weil er sich dessen nicht versah,
was dann doch geschah.

  So redete ihr der edle Mann zu.
Ihr Vater und ihre Mutter
sprachen: »Lieber Herr,
ihr habt uns sehr viel Freundlichkeit erwiesen
und uns in Ehren gehalten.
Es wäre nicht wohlgetan,
wenn wir es euch nicht mit Gutem vergelten wollten.
Unsere Tochter ist entschlossen,
den Tod für euch zu erleiden.
Wir erlauben es ihr gerne;
so hat sie uns umgestimmt.
Sie hat sich nicht flüchtig bedacht.
Es ist heut der dritte Tag,
daß sie immer wieder in uns drang,
wir möchten es ihr erlauben.
Jetzt hat sie es bei uns durchgesetzt.
So lasse euch denn Gott durch sie genesen:
Wir wollen sie für euch hingeben.«

  Als ihm seine Braut
für sein Siechtum ihren Tod anbot
und man ihren Ernst erkannte,

dô wart dâ michel ungemach
1005   und jæmerlîch gebærde.
manec mislîchiu beswærde
huop sich dô under in,
zwischen dem kinde unde in drin.
ir vater unde ir muoter, die
1010   erhuoben michel weinen hie.
des weinens tet in michel nôt
umbe ir vil lieben kindes tôt.
nu begunde ouch der herre
gedenken alsô verre
1015   an des kindes triuwe,
und begreif in ouch ein riuwe,
daz er sêre weinen began,
und zwîvelte vaste daran,
weder ez bezzer getân
1020   möhte sîn oder verlân.
von vorhten weinde ouch diu maget,
sî wânde, er wære dran verzaget.
sus wârens alle unfrô;
sine gerten keines gemaches dô.

1025   Ze jungest dô bedâhte sich
ir herre, der arme Heinrich,
und begunde sagen in
grôze gnâde allen drin
der triuwen und des guotes
1030   – diu maget wart rîches muotes,
daz ers gevolgete gerne –

da gab es große Betrübnis
und Schmerzensausbrüche.
Verschieden war der Anlaß zur Klage,
die zwischen ihnen anhob,
zwischen dem Kind und ihnen dreien.
Ihr Vater und ihre Mutter,
die weinten bitterlich;
und sie hatten wohl Grund zum Weinen
über den Tod ihres lieben Kindes.
Jetzt begann auch der Herr
ernstlich die Treue
des Kindes zu bedenken.
Da überkam auch ihn solcher Jammer,
daß er sehr zu weinen begann,
und starker Zweifel überfiel ihn,
ob es besser getan
oder unterlassen wäre.
Aus Angst dagegen weinte das Mädchen;
sie meinte, er fände den Mut nicht dazu.
So waren sie alle ohne Freude,
und es verlangte sie nach keinem Behagen.
  Schließlich bedachte sich
ihr Herr, der arme Heinrich,
und dankte ihnen
allen dreien innigst
für ihre Treue und gute Gesinnung.
Das Mädchen ward hoch beglückt,
daß er gerne zustimmte.

und bereite sich ze Sâlerne,
so er schierest mohte.

swaz ouch der mägede tohte,
1035   daz wart vil schiere bereit:
schœniu pfärt und rîchiu kleit,
diu sî getruoc nie vor der zît.
härmin unde samît,
den besten zobel, den man vant,
1040   daz was der mägede gewant.

    Nû wer möhte vol gesagen
die herzeriuwe und daz klagen
und ir muoter grimmez leit
und ouch des vater arbeit?
1045   ez wære wol under in beiden
ein jæmerlîchez scheiden,
dô sî ir liebez kint von in
gefrumten sô gesundez hin,
niemêr ze sehenne in den tôt,
1050   wan daz in senfterte ir nôt
diu reine gotes güete,
von der doch daz gemüete
ouch dem jungen kinde kam,
daz ez den tôt gerne nam.
1055   ez was âne ir rât komen.
dâ von wart von ir herzen genomen
alliu klage und swære,
wan ez anders wunder wære,
daz in ir herze niht zerbrach.

Er rüstete sich zur Reise nach Salerno,
so rasch er konnte.
Alles, was für das Mädchen nötig war,
das wurde alsbald beschafft,
schöne Pferde und kostbare Kleider,
wie sie sie bisher nie getragen hatte.
Hermelin und Sammet
und der beste Zobel, den man fand,
das war die Kleidung des Mädchens.
  Wer könnte vollauf berichten
von dem Herzeleid und dem Klagen,
von dem bitteren Schmerz ihrer Mutter
und von ihres Vaters Betrübnis!
Es wäre für beide
wohl ein herzzerreißender Abschied gewesen,
als sie ihr liebes Kind
so gesund in den Tod hinaussandten,
um es nie mehr wiederzusehen,
wenn ihnen nicht die reine Güte Gottes
ihren Schmerz gelindert hätte,
durch die doch dem jungen Kinde
die Entschlossenheit gekommen war,
daß es den Tod gerne auf sich nahm.
Es war ohne ihr Zutun dazu gekommen.
Dadurch wurde ihrem Herzen
alle Klage und Bedrücktheit genommen;
sonst wäre es ein Wunder gewesen,
daß ihnen das Herz nicht brach.

1060 ze liebe wart ir ungemach,
daz sî dar nâch deheine nôt
liten umbe ir kindes tôt.

Sus fuor gegen Sâlerne
frœlich unde gerne
1065 diu maget mit ir herren.
waz möhte ir nû gewerren,
wan daz der wec sô verre was,
daz sî sô lange genas?
dô er sî volle brâhte
1070 hin, alse er gedâhte,
dâ er sînen meister vant,
dô wart ime alzehant
frœlîchen gesaget,
er hete brâht eine maget,
1075 die er in gewinnen hiez;
dar zuo er in si sehen liez.
daz dûhte in ungelouplich.
er sprach: »kint, weder hâstû dich
diss willen selbe bedâht,
1080 oder bistû ûf die rede brâht
von bete oder dînes herren drô?«
diu maget antwurte im alsô,
daz sî die selben ræte
von ir selbes herzen tæte.

1085 Des nam in michel wunder,
und fuorte sî besunder
und beswuor sî vil verre,

Zur Freude wurde ihr Ungemach,
so daß sie hinfort keinen Kummer mehr
um den Tod ihres Kindes litten.
  So zog nach Salerno
frohgemut und bereitwillig
das Mädchen mit seinem Herrn.
Was konnte sie jetzt noch bekümmern,
als daß der Weg so weit war,
so daß sie noch so lange am Leben bleiben mußte?
Und als er sie ganz dorthin gebracht hatte,
wie er es beabsichtigt hatte,
wo er seinen Meister aufsuchte,
da wurde diesem sogleich
voller Freude gesagt,
er habe eine Jungfrau mitgebracht,
wie er sie von ihm verlangt habe;
und er stellte sie ihm auch vor.
Das dünkte ihn unglaublich.
Er sprach: »Mein Kind, hast du
diesen Entschluß selber gefaßt,
oder bist du dazu gebracht worden
durch Bitten oder durch die Drohung deines Herrn?«
Das Mädchen antwortete ihm,
daß sie diesen Entschluß
nach dem Rat ihres Herzens gefaßt hätte.
  Darüber war er sehr verwundert.
Er führte sie abseits
und beschwor sie dringend zu sagen,

ob ir iht ir herre
die rede hete ûz erdrôt.
1090 er sprach: »kint, dir ist nôt,
daz dû dich berâtest baz,
und sage dir rehte umbe waz.
ob dû den tôt lîden muost
und daz niht gerne vil tuost,
1095 sô ist dîn junger lîp tôt
und frumet uns leider niht ein brôt.)
nu enhil mich dînes willen niht.
ich sage dir, wie dir geschiht:
ich ziuch dich ûz rehte blôz,
1100 und wirt dîn schame harte grôz,
die du von schulden danne hâst,
wan du nacket vor mir stâst.
ich binde dir bein unde arme.
ob dich dîn lîp erbarme,
1105 so bedenke disen smerzen:
ich snîde dich zuo dem herzen
und brich ez lebende ûz dir.
fröuwelîn, nû sage mir,
wie dîn muot dar umbe stê.
1110 ezn geschach nie kinde alsô wê,
als dir muoz von mir geschehen.
daz ich ez tuon sol unde sehen,
dâ hân ich michel angest zuo!
sich, wiez dînem lîbe tuo!
1115 geriuwetiz dich hâres breit,

ob ihr Herr ihr nicht etwa
den Entschluß durch Drohung abgepreßt hätte.
Er sprach: »Mein Kind, es ist notwendig für dich,
daß du dich besser bedenkst.
Ich will dir genau sagen, warum.
Wenn du den Tod erleiden sollst
und es nicht freiwillig tust,
so ist dein junger Leib tot,
und uns nützt es leider nicht das geringste.
Darum verhehle mir nichts über deine Entschließung.
Ich sage dir, was dir geschehen wird.
Ich ziehe dich ganz nackt aus,
und deine Scham wird sehr groß sein,
die du dabei empfinden mußt,
weil du nackend vor mir stehst.
Dann binde ich dir Beine und Arme.
Wenn es dir um dein Leben leid tut,
so bedenke diesen Schmerz:
ich schneide dir zum Herzen
und reiße es dir lebendig heraus.
Jungfräulein, nun sage mir,
wie dir dabei zumute ist.
Noch keinem Kinde wurde so weh getan,
wie es dir von mir geschehen wird.
Daß ich es tun und ansehen soll,
davor graut es sogar mir sehr.
Bedenke, wie es dir tun wird.
Wenn es dich nur um Haaresbreite gereut,

sô hân ich mîn arbeit
unde dû den lîp verlorn.«
vil tiure wart sî aber besworn,
sine erkante sich vil stæte,
1120 daz sî sichs abe tæte.

    Diu maget lachende sprach,
    wan sî sich des wol versach,
    ir hülfe des tages der tôt
    ûzer werltlîcher nôt:
1125 »got lône iu, lieber herre,
    daz ir mir alsô verre
    hât die wârheit gesaget.
    entriuwen ich bin ein teil verzaget,
    mir ist ein zwîvel geschehen.
1130 ich wil iu rehte bejehen,
    wie der zwîvel ist getân,
    den ich nû gewunnen hân.
    ich fürhte, daz unser arbeit
    gar von iuwer zageheit
1135 under wegen belîbe.
    iuwer rede gezæme einem wîbe.
    ir sît eines hasen genôz.
    iuwer angest ist ein teil ze grôz,
    dar umbe daz ich sterben sol.
1140 dêswâr ir handelt ez niht wol
    mit iuwer grôzen meisterschaft.
    ich bin ein wîp und hân die kraft:
    geturret ir mich snîden,

so habe ich meine Arbeit
und du hast dein Leben verloren.«
Dringend wurde sie wieder und wieder beschworen,
wenn sie sich nicht ganz fest fühlte,
sollte sie davon abstehen.

  Das Mädchen sprach lachend,
weil sie fest darauf vertraute,
daß ihr an diesem Tage der Tod
aus der Not der Welt helfen würde:
»Gott lohne euch, lieber Herr,
daß ihr mir so genau
die Wahrheit gesagt habt.
Ganz recht, ich verliere fast den Mut.
Ein Zweifel ist mich angekommen,
doch will ich euch offen erklären,
wie es um den Zweifel steht,
der mich jetzt ergriffen hat.
Ich fürchte nämlich, daß unser Vorhaben
durch eure Verzagtheit
am Ende unterbleiben könnte.
Eure Rede stände einem Weibe an;
ihr seid ein Hasenfuß.
Eure Angst davor ist wirklich zu groß,
daß ich sterben soll.
Wahrhaftig, euer Verhalten entspricht nicht
eurem großen Können.
Ich bin ein Weib und habe die Kraft:
wenn ihr euch getraut, mich zu schneiden,

ich getar ez wol erlîden.

1145 die angestlîche arbeit,
die ir mir vor hât geseit,
die hân ich âne iuch wol vernomen.
zwâre ich enwære her niht komen,
wan daz ich mich weste

1150 des muotes alsô veste,
daz ich ez wol mac dulden.
mir ist bî iuwern hulden
diu brœde varwe gar benomen
und ein muot alsô vester komen,

1155 daz ich als angestlîche stân,
als ich ze tanze süle gân.
wan dehein nôt sô grôz ist,
diu sich in eines tages frist
an mîme lîbe geenden mac,

1160 mich endunke, daz der eine tac
genuoc tiure sî gegeben
umbe daz êwige leben,
daz dâ niemêr zergât.
iu enmac, als mîn muot stât,

1165 an mir niht gewerren.
getrüwet ir mînem herren
sînen gesunt wider geben
und mir daz êwige leben
durch got, daz tuot enzît.

1170 lât sehen, welch meister ir sît!
mich reizet vaste darzuo

so getraue ich mich wohl, es zu erleiden.
Die schreckliche Qual,
von der ihr mir gesagt habt,
die habe ich mir auch ohne euch klargemacht.
Ich wäre wahrhaftig nicht hergekommen,
wenn ich mich nicht
so festen Herzens gewußt hätte,
daß ich es gut ertragen kann.
Mir ist, erlaubt es mir zu sagen,
die Blässe der Furcht ganz benommen
und eine solche Entschlossenheit gekommen,
daß ich so ängstlich dastehe,
als ob ich zum Tanz gehen sollte.
Denn keine Qual ist so groß,
die sich in eines Tages Frist
an meinem Leibe vollenden kann,
daß ich nicht meinen sollte, der eine Tag
sei ein genügender Preis
für das ewige Leben,
das da niemals vergeht.
So wie mein Sinn steht,
braucht ihr euch um meinetwillen nicht zu beunruhigen.
Glaubt ihr, meinem Herren
seine Gesundheit wiedergeben zu können
und mir das ewige Leben:
in Gottes Namen, so tut es sogleich.
Zeigt, was für ein Meister ihr seid.
Mich treibt der sehr dazu

– ich weiz wol, durch wen ichz tuo –
in des namen ez geschehen sol.
der erkennet dienest harte wol
1175 und lât sîn ungelônet niht.
ich weiz wol, daz er selbe giht,
swer grôzen dienest leiste,
des lôn sî ouch der meiste.
dâ von sô sol ich disen tôt
1180 hân für eine süeze nôt
nâch sus gewissem lône.
lieze ich die himelkrône,
sô het ich alwæren sin,
wand ich doch lîhtes künnes bin.«
1185   Nu vernam er, daz sî wære
genuoc unwandelbære,
und fuorte sî wider dan
hin zuo dem siechen man
und sprach zuo ir herren:
1190 »uns enmac niht gewerren,
iuwer maget ensî vollen guot.
nû habet frœlîchen muot,
ich mache iuch schiere gesunt.«
hin fuorte er sî ze stunt
1195 in sîn heimlîch gemach,
da ez ir herre niht ensach,
und beslôz im vor die tür
und warf einen rigel für.
er enwolte in niht sehen lân,

– ich weiß wohl, wem zuliebe ich es tue –,
in dessen Namen es geschehen soll.
Der erkennt einen Dienst sehr gut
und läßt ihn nicht ungelohnt.
Ich weiß wohl, daß er selber sagt,
wer einen großen Dienst leistet,
dessen Lohn soll auch der größte sein.
Darum will ich diesen Tod
als eine süße Not ansehen,
für die ein so sicherer Lohn winkt.
Ließe ich die Himmelskrone fahren,
so hätte ich einen törichten Sinn,
wenn ich auch geringer Herkunft bin.«
  Jetzt hatte er erkannt,
daß sie unerschütterlich genug wäre,
und führte sie wieder
zu dem siechen Mann
und sprach zu ihrem Herrn:
»Uns kann es nicht fehlen;
eure Jungfrau ist vollkommen tauglich.
Seid darum frohen Mutes,
ich mache euch rasch gesund.«
Sogleich führte er sie fort
in sein privates Gemach,
wo es ihr Herr nicht sehen konnte.
Er verschloß die Tür vor ihm
und schob einen Riegel vor.
Er wollte ihn nicht sehen lassen,

1200 wie ir ende solte ergân.
     in einer kemenâten,
     die er vil wol berâten
     mit guoter arzenîe vant,
     hiez er die maget alzehant
1205 abe ziehen diu kleit.
     des was sî frô und gemeit;
     sî zarte diu kleider in der nât.
     schiere stuont sî âne wât
     und wart nacket unde blôz:
1210 sî schamte sich niht hâres grôz.
        Dô sî der meister ane sach,
     in sînem herzen er des jach,
     daz schœner crêatiure
     al der werlte wære tiure.
1215 gar sêre erbarmete sî in,
     daz im daz herze und der sin
     vil nâch was dar an verzaget.
     nû ersach diu guote maget
     einen hôhen tisch dâ stân,
1220 dâ hiez si der meister ûf gân.
     dar ûf er sî vil vaste bant
     und begunde nemen in die hant
     ein scharphez mezzer, daz dâ lac,
     des er ze solhen dingen pflac.
1225 ez was lanc unde breit,
     wan daz ez sô wol niht ensneit,
     als im wære liep gewesen.

wie sie ihr Ende finden sollte.
In einem Zimmer,
das er wohlausgestattet
mit guter Arznei fand,
hieß er das Mädchen sogleich
die Kleider ausziehen.
Darüber war sie froh und glücklich.
Sie riß die Verschnürung ihrer Kleider auf.
Rasch stand sie ohne Kleider da,
nackt und bloß,
und sie schämte sich nicht im geringsten.
  Als der Meister sie ansah,
sagte er sich im stillen,
daß ein schöneres Geschöpf
in der ganzen Welt kaum zu finden wäre.
Sie jammerte ihn sehr,
so daß ihm Herz und Sinn
dadurch fast verzagt wären.
Jetzt sah das opferwillige Mädchen
einen hohen Tisch dort stehen;
auf den hieß der Meister sie steigen.
Er band sie darauf ganz fest
und nahm ein scharfes Messer,
das dort bereitlag, in die Hand,
das er bei solchen Gelegenheiten benutzte.
Es war lang und breit,
doch schnitt es nicht so gut,
wie ihm lieb gewesen wäre.

dô sî niht solte genesen,
dô erbarmete in ir nôt
1230 und wolte ir sanfte tuon den tôt.
   Nû lac dâ bî im ein
harte guot wetzestein.
da begunde erz an strîchen
harte müezeclîchen.
1235 daz strîchen erhôrte
– sine fröude ez gar verstôrte –
der arme Heinrich hin für,
dô er stuont ûzen vor der tür,
und erbarmete in vil sêre,
1240 daz er sî niemer mêre
lebende solte gesehen.
nu begunde er suochen unde spehen,
unze daz er durch die want
ein loch gânde vant,
1245 und ersach sî durch die schrunden
nacket und gebunden.
ir lîp der was vil minneclich.
nû sach er sî an unde sich
und gewan einen niuwen muot.
1250 in dûhte dô daz niht guot,
des er ê gedâht hâte,
und verkêrte vil drâte
sîn altez gemüete
in eine niuwe güete.
1255   Nû er sî alsô schœne sach,

94

Da sie nicht am Leben bleiben sollte,
erbarmte ihn ihr Schmerz,
und er wollte ihr den Tod gelinde machen.
  Nun lag ihm dort
ein sehr guter Wetzstein bereit,
daran begann er es
sehr bedächtig zu streichen.
Das Streichen hörte
– und es machte seine Freude ganz zunichte –
der arme Heinrich hinausdringen,
als er draußen vor der Tür stand,
und es jammerte ihn sehr,
daß er sie niemals mehr
lebendig sehen sollte.
Jetzt begann er zu suchen und zu spähen,
bis er ein Loch fand,
das durch die Wand ging,
und er erblickte sie durch den Ritz
nackt und gebunden.
Ihr Leib war so liebreizend.
Da sah er sie an und sich selbst
und ward von einem neuen Sinn erfüllt.
Da dünkte ihn das nicht mehr gut,
was er zuvor beabsichtigt hatte,
und er verwandelte sich augenblicklich:
er tat sein altes Wesen ab
und wurde ein neuer Mensch.
  Als er sie so schön sah,

wider sich selben er dô sprach:

»dû hâst ein tumben gedanc,

daz dû sunder sînen danc

gerst ze lebenne einen tac,

1260 wider den niemen niht enmac.

du enweist ouch rehte, waz dû tuost,

sît dû benamen ersterben muost,

daz dû diz lasterlîche leben,

daz dir got hât gegeben,

1265 niht vil willeclîchen treist

unde ouch dar zuo niht enweist,

ob dich des kindes tôt ernert.

swaz dir got hât beschert,

daz lâ dir allez geschehen.

1270 ich enwil des kindes tôt niht sehen.«

Des bewac er sich zehant

und begunde bôzen an die want;

er hiez sich lâzen dar in.

der meister sprach: »ich enbin

1275 nû niht müezic dar zuo,

daz ich iu iht ûf tuo.«

»nein, meister, gesprechet mich.«

»herre, jâ enmac ich.

beitet unz daz ditz ergê.«

1280 »neinâ, meister, gesprechet mich ê.«

»nû saget mirz her durch die want.«

»ja enist ez niht alsô gewant.«

Zehant liez er in dar in.

96

da sprach er zu sich selber:
»Dein Denken ist töricht,
daß du ohne dessen Zustimmung
einen einzigen Tag zu leben begehrst,
gegen den jedermann ohnmächtig ist.
Du weißt auch nicht recht, was du tust,
da du doch sicherlich sterben mußt,
daß du dies schändliche Dasein,
das Gott dir gegeben hat,
nicht willig trägst,
wo du überdies nicht einmal weißt,
ob der Tod des Kindes dich errettet.
Was Gott dir zugemessen hat,
das lasse alles geschehen.
Ich will den Tod des Kindes nicht sehen.«
  Dazu entschloß er sich sogleich
und begann, an die Wand zu pochen.
Er verlangte, eingelassen zu werden.
Der Meister sprach: »Ich habe
jetzt keine Zeit dazu,
daß ich euch aufmache.«
»Nein, Meister, ihr sollt mit mir sprechen.«
»Herr, ich kann jetzt nicht;
wartet, bis dies vorüber ist.«
»Nein, Meister, ihr sollt mich vorher sprechen.«
»Dann sagt es mir durch die Wand.«
»Aber es ist nicht danach angetan.«
  Und sogleich ließ er ihn ein.

dô gie der arme Heinrich hin,
1285 dâ er sî gebunden sach.
zuo dem meister er dô sprach:
»ditz kint ist alsô wünneclich,
zwâre jâ enmac ich
sînen tôt niht gesehen;
1290 gotes wille müeze an mir geschehen.
nû lâzen sî wider ûf stân.
als ich mit iu gedinget hân,
daz selbe guot wil ich iu geben;
ir sult die maget lâzen leben.«
1295 daz hôrte vil gerne
der Meister von Sâlerne
unde volgete ime zehant;
die maget er wider ûf bant.

    Dô diu maget rehte ersach,
1300 daz ir ze sterbenne niht geschach,
dâ was ir muot beswæret mite.
si brach ir zuht unde ir site
– si hete leidens genuoc –
ze den brüsten sî sich sluoc,
1305 si zarte unde roufte sich,
ir gebærde wart sô jæmerlich,
daz sî niemen hete gesehen,
im wære ze weinenne geschehen.
vil bitterlîchen si schrê:
1310 »wê mir vil armen unde owê!
wie sol ez mir nû ergân?

98

Da ging der arme Heinrich dorthin,
wo er das Mädchen gebunden sah,
und er sprach zu dem Meister:
»Dies Kind ist so wunderschön,
wahrhaftig, ich kann
seinen Tod nicht ansehen.
Gottes Wille möge an mir geschehen!
Wir wollen sie wieder aufstehen lassen.
Was ich mit euch ausgemacht habe,
den Betrag will ich euch zahlen,
aber ihr sollt das Mädchen am Leben lassen.«
Sehr gerne hörte das
der Meister von Salerno
und gehorchte ihm sofort.
Er band das Mädchen wieder los.
  Als das Mädchen erkannte,
daß sie nicht sterben sollte,
da wurde ihr das Herz schwer.
Sie verstieß gegen Zucht und Sitte
– es war ihr bitter leid –
sie schlug ihre Brüste,
sie zerrte und raufte sich,
ihr Gehaben war so jammervoll,
daß niemand sie hätte ansehen können,
ohne daß er hätte weinen müssen.
Bitterlich schrie sie:
»Weh mir Armer, o weh!
Wie soll es mir jetzt ergehen?

muoz ich alsus verlorn hân

die rîchen himelkrône?

diu wære mir ze lône

1315 gegeben umbe dise nôt.

nû alrêst bin ich tôt.

owê, gewaltiger Krist,

waz êren uns benomen ist,

mînem herren unde mir!

1320 nu enbirt er und ich enbir

der êren, der uns was gedâht.

ob diz wære volle brâht,

sô wære im der lîp genesen

und müese ich iemer sælic wesen.«

1325 Sus bat si genuoc umbe den tôt.

dô wart ir nie darnâch sô nôt,

sine verlüre gar ir bete.

dô niemen durch sî dô niht tete,

dô huop sî ein schelten.

1330 sî sprach: »ich muoz engelten

mînes herren zageheit.

mir hânt die liute misseseit,

daz hân ich selbe wol ersehen.

ich hôrte ie die liute jehen,

1335 ir wæret biderbe unde guot

und hetet vesten mannes muot;

sô helfe mir got, sî hânt gelogen.

diu werlt was ie an iu betrogen.

ir wâret alle iuwer tage

Soll ich so die herrliche
Himmelskrone verloren haben?
Die wäre mir zum Lohn
für diese Qual gegeben worden.
Erst jetzt bin ich wirklich tot.
Ach, du gewaltiger Christus,
welche Ehre ist uns geraubt,
meinem Herren und mir!
Nun entbehrt er und entbehre ich
die Ehren, die uns zugedacht waren,
wenn dies vollbracht worden wäre.
Dann wäre ihm der Leib gesundet,
und ich dürfte immer selig sein.«
  So bat sie inständig um den Tod.
Doch so dringend ihr auch darum zu tun war,
ihre Bitte war umsonst.
Als niemand etwas für sie tun wollte,
hob sie an zu schelten.
Sie sprach: »Ich muß
die Feigheit meines Herrn entgelten.
Die Leute haben mir Falsches erzählt;
das habe ich jetzt selber gesehen.
Ich hörte die Leute immer sagen,
ihr wäret brav und tüchtig
und hättet festen Mannesmut.
So wahr mir Gott helfe, sie haben gelogen!
Die Welt war stets an euch betrogen.
Ihr wart euer Leben lang

1340 und sît ouch noch ein werltzage.
des nim ich wol dâ bî war,
daz ich doch lîden getar,
daz enturret ir niht dulden.
herre, von welhen schulden
1345 erschrâket ir, dô man mich bant?
ez was doch ein dickiu want
enzwischen iu unde mir.
herre mîn, geturret ir
einen frömden tôt niht vertragen?
1350 ich wil iu geheizen unde sagen,
daz iu niemen niht entuot
und ist iu nütze unde guot.
ob irz durch iuwer triuwe lât,
daz ist ein vil swacher rât,
1355 des iu got niht lônen wil,
wan der triuwen ist ze vil.«
Swie vil sî flueche unde bete
unde ouch scheltens getete,
daz enmohte ir niht frum wesen:
1360 sî muose iedoch genesen.
swaz dô scheltens ergie,
der arme Heinrich ez enpfie
tugentlîchen unde wol,
als ein frumer ritter sol,
1365 dem schœner zühte niht gebrast.
dô der gnâdelôse gast
sîne maget wider kleite

und seid noch ein Jammerlappen.
Das erkenne ich wohl daran:
was ich mir doch zutraue zu leiden,
das getraut ihr euch nicht zu dulden.
Herr, weshalb
erschrakt ihr, als man mich band?
Es war doch eine dicke Wand
zwischen euch und mir.
Mein Herr, traut ihr euch nicht zu,
einen fremden Tod zu ertragen?
Ich will euch versprechen und versichern,
daß euch niemand etwas tut,
und euch ist es nützlich und gut.
Wenn ihr es aus Treue unterlaßt,
so ist das ein törichter Entschluß,
für den Gott euch nicht lohnen wird.
Denn das ist zuviel der Treue.«
  So viel sie flehte und bat
und auch schalt,
das konnte ihr nichts nützen:
sie mußte doch am Leben bleiben.
So viel da auch gescholten wurde,
der arme Heinrich nahm es
wohlgesittet und ruhig hin,
wie ein wackerer Ritter es muß,
dem es an guter Erziehung nicht fehlt.
Als der ungeheilt gebliebene Fremde
seine Jungfrau wieder angekleidet

und den arzât bereite,
als er gedinget hâte,
1370 dô fuor er gar drâte
wider heim ze lande.
swie wol er dô erkande,
daz er dâ heime funde
mit gemeinem munde
1375 niuwan laster unde spot,
daz liez er allez an got.

Nû hete sich diu guote maget
sô gar verweinet und verklaget
vil nâhen unz an den tôt.
1380 dô erkande ir triuwe und ir nôt
cordis speculator,
vor dem deheines herzen tor
vürnames niht beslozzen ist.
sît er durch sînen süezen list
1385 an in beiden des geruochte,
daz er sî versuochte
reht alsô volleclîchen
sam Jôben den rîchen,
do erzeicte der heilige Krist,
1390 wie liep im triuwe und bärmde ist,
und schiet sî dô beide
von allem ir leide
und machete in dô zestunt
reine unde wol gesunt.
1395 Alsus bezzerte sich

und den Arzt ausgezahlt hatte,
wie er es ausbedungen hatte,
da zog er sehr rasch
wieder heim in sein Land,
obwohl er wußte,
daß er daheim
aus jedermanns Munde
nur Schande und Spott ernten würde.
Das stellte er alles Gott anheim.
  Das liebe Mädchen aber hatte sich
so ganz an Weinen und Klagen ersättigt,
daß sie dem Tode nahe war.
Da erkannte ihre Treue und ihre Not
cordis speculator,
vor dem keines Herzens Tor
wahrhaft je verschlossen ist.
Als er nach seinem liebevollen Plan
sie beide dessen gewürdigt hatte,
daß er sie
so vollkommen erprobte
wie den reichen Hiob,
da erzeigte der heilige Christ,
wie lieb ihm Treue und Erbarmen sind,
und er erlöste sie beide
von allem ihrem Leid
und machte ihn augenblicklich
rein und ganz gesund.
  So besserte sich

der guote herre Heinrich,
daz er ûf sînem wege
von unsers herren gotes pflege
harte schône genas,
1400 daz er vil gar worden was
als von zweinzig jâren.
dô si sus erfröuwet wâren,
dô enbôt erz heim ze lande
den, die er erkande
1405 der sælden und der güete,
daz sî in ir gemüete
sînes gelückes wæren frô.
von schulden muosen sî dô
von den genâden fröude hân,
1410 die got hâte an ime getân.
  Sîne friunt die besten,
die sîne kunft westen,
die riten unde giengen
durch daz sî in enpfiengen
1415 gegen im wol drîe tage.
si engeloubten niemens sage
niuwan ir selber ougen.
sî kurn diu gotes tougen
an sînem schœnen lîbe.
1420 dem meier und sînem wîbe,
den mac man wol gelouben,
man enwelle si rehtes rouben,
daz sî dâ heime niht beliben.

der treffliche Herr Heinrich,
daß er unterwegs
in der Pflege unseres Herrgotts
herrlich gesundete
und ganz so geworden war
wie ein Mann von zwanzig Jahren.
Als ihnen solche Freude widerfahren war,
vermeldete er es heim in sein Land
denen, die er erkannt hatte
von so glücklicher und treuer Gesinnung,
daß sie in ihrem Herzen
seines Glückes froh wären.
Mit Recht durften sie da
Freude durch die Gnade haben,
die Gott ihm erwiesen hatte.

  Seine nächsten Angehörigen,
die von seiner Heimkehr wußten,
ritten und gingen,
um ihn zu empfangen,
ihm wohl drei Tagereisen entgegen.
Sie wollten niemandes Bericht glauben,
sondern nur ihren eigenen Augen.
Sie erkannten das geheime Wirken Gottes
an der Schönheit seines Leibes.
Von dem Meier und seinem Weibe
darf man wohl glauben
– wenn man ihnen ihr Recht nicht rauben will –,
daß sie nicht zu Hause blieben.

sî ist iemer ungeschriben,

1425 diu fröude, die sî hâten,

wan sî got hete berâten

mit lieber ougenweide;

die gâben in dô beide

ir tohter unde ir herre.

1430 ez enwart nie fröude merre,

danne in beiden was geschehen,

dô sî hâten gesehen,

daz sî gesunt wâren.

si enwesten, wie gebâren.

1435 ir gruoz wart spæhe undersniten

mit vil seltsænen siten.

ir herzeliep wart alsô grôz,

daz in daz lachen begôz

der regen von den ougen.

1440 diu rede ist âne lougen:

sî kusten ir tohter munt

etewâz mê dan drîstunt.

Do enpfiengen in die Swâbe

mit lobelîcher gâbe;

1445 daz was ir willeclîcher gruoz.

got weiz wol, den Swâben muoz

ieglich biderber man jehen,

der sî dâ heime hât gesehen,

daz bezzers willen niene wart,

1450 als in an sîner heimvart

sîn lantliut enpfienge.

Unbeschreiblich ist immer
die Freude, die sie hatten.
Denn Gott hatte ihnen
eine frohe Augenweide beschert.
Die bereiteten ihnen alle beide,
ihre Tochter und ihr Herr.
Nie gab es eine größere Freude,
als ihnen beiden geschehen war,
da sie gesehen hatten,
daß sie gesund waren.
Sie wußten sich nicht zu lassen.
Ihre Begrüßung war wunderlich vermischt
mit seltsamem Gebaren:
die Freude ihres Herzens war so groß,
daß der Regen aus ihren Augen
ihnen das Lachen begoß.
Man kann es nicht leugnen:
sie küßten den Mund ihrer Tochter
wohl öfter als dreimal.
  Da empfingen ihn die Schwaben
mit einer herrlichen Gabe:
das war ihr von Herzen kommender Gruß.
Gott weiß, den Schwaben muß
ein jeder brave Mann zugestehen,
der sie dort im Lande gesehen hat,
daß es eine herzlichere Gesinnung nie gegeben hat
als damals, da ihn bei seiner Heimkehr
seine Landsleute empfingen.

wie ez der nâch ergienge,

waz mac ich dâ von sprechen mê?

er wart rîcher vil dan ê

1455   des guotes und der êren.

daz begunde er allez kêren

stæteclîchen hin ze gote

und warte sîme gebote

baz danne er ê tæte.

1460   des ist sin êre stæte.

    Der meier und diu meierin,

die heten ouch vil wol umb in

verdienet êre unde guot.

ouch hete er niht sô valschen muot,

1465   si enhetenz harte wol bewant.

er gap in ze eigen dâ zehant

daz breite geriute,

die erde und die liute,

dâ er dô siecher ûfe lac.

1470   sîner gemaheln er dô pflac

mit guote und mit gemache

und mit aller slahte sache

als einer frouwen oder baz:

daz reht gebôt im ouch daz.

1475   Nu begunden im die wîsen

râten unde prîsen

umb êlîche hîrât.

ungesamnet was der rât.

er seite in dô sînen muot:

Wie es dann weiterging,
was soll ich viel davon reden?
Er wurde noch viel reicher als zuvor
an Gut und an Ehren.
Das wendete er alles
beständig Gott zu
und richtete sich nach seinem Gebot,
besser als er es zuvor getan hatte.
Darum ist seine Ehre beständig.
  Der Meier und die Meierin
hatten auch an ihm
Ehre und Besitz wohl verdient,
und er war nicht so niedrig gesinnt,
daß Sie nicht den verdienten Lohn empfangen hätten.
Er gab ihnen sogleich
die weite Rodung zu eigen,
das Land und die Leute,
wo er als Kranker gelegen hatte.
Seine Braut stattete er
mit Gut und reichlichem Unterhalt aus
und sonst mit allem Erdenklichen
wie ein Edelfräulein oder noch besser.
Das gebot ihm seine Dankespflicht.
  Jetzt begannen ihm
die Erfahrenen zu raten
und die Ehe anzupreisen.
Doch geschah es nicht in versammeltem Rat.
Da tat er ihnen seine Absicht kund:

1480 er wolte, diuhte ez sî guot,

nâch sînen friunden senden

und die rede mit in enden,

swie sî ime rieten.

biten unde gebieten

1485 hiez er allenthalben dar,

die sînes wortes næmen war.

dô er sî alle dar gewan,

beide mâge und man,

dô tet er in die rede kunt.

1490 nû sprach ein gemeiner munt,

ez wære reht unde zît.

hie huop sich ein michel strît

an dem râte under in;

dirre riet her, der ander hin,

1495 als ie die liute tâten,

dâ sî dâ solten râten.

    Ir rât was sô mislich.

dô sprach der herre Heinrich:

»iu herren ist allen wol kunt,

1500 daz ich vor kurzer stunt

was vil ungenæme,

den liuten widerzæme.

    nu enschiuht mich weder man noch wîp.

mir hât gegeben gesunden lîp

1505 unsers herren gebot.

nû râtet mir alle durch got:

von dem ich die genâde hân,

er wollte, wenn sie einverstanden wären,
die Seinen zusammenrufen
und die Sache mit ihnen zu Ende bringen,
wie immer sie es ihm rieten.
Einladung und Aufgebot
ließ er ringsum an alle ergehen,
die seinem Worte dienstbar waren.
Als er sie alle versammelt hatte,
Verwandte und Mannen,
legte er ihnen die Sache vor.
Da sprachen sie wie aus einem Munde,
es wäre richtig und an der Zeit.
Dann erhob sich ein großer Streit
in der Versammlung unter ihnen.
Der riet her, der andere hin,
wie es die Leute stets zu tun pflegten,
wenn sie Rat geben sollten.
  Ihre Vorschläge gingen weit auseinander.
Da sprach der Herr Heinrich:
»Euch Herren allen ist doch wohl bekannt,
daß ich noch vor kurzem
sehr abstoßend
und den Menschen widerwärtig war.
Jetzt meidet mich weder Mann noch Weib.
Mir hat das Gebot unseres Herrgotts
einen gesunden Leib gegeben.
Nun ratet mir alle bei Gott:
dem ich die Gnade verdanke,

die mir got hât getân,

daz ich gesunt worden bin,

1510 wie ichz verschulde wider in.«

sî sprâchen: »nemet einen muot,

daz im lîp unde guot

iemer undertænic sî.«

sîn trûtgemahel stuont dâ bî,

1515 die er vil güetlîch ane sach.

er umbevienc si unde sprach:

»iu herren ist allen wol gesaget,

daz ich von dirre guoten maget

mînen gesunt wider hân,

1520 die ir hie sehet bî mir stân.

nû ist sî frî, als ich dâ bin;

nû ræt mir aller mîn sin,

daz ich sî ze wîbe neme.

got gebe daz ez iuch gezeme,

1525 sô wil ich sî ze wîbe hân.

mac aber daz niht ergân,

sô wil ich sterben âne wîp,

wan ich êre unde lîp

hân von ir schulden.

1530 bî unsers herren hulden

wil ich iuch biten alle,

daz ez iu wol gevalle.«

Nû sprâchen si alle gelîche

beide arme und rîche,

1535 ez wære ein michel fuoge.

die Gott mir erwiesen hat,
daß ich gesund geworden bin,
wie ich dem meine Schuld abtrage.«
Sie sprachen: »Entschließt euch,
ihm mit Leib und Gut
immer dienstbar zu sein.«
Seine Braut stand dabei,
die er liebreich anblickte.
Er umarmte sie und sprach:
»Euch Herren allen ist wohl berichtet worden,
daß ich durch dieses treue Mädchen
meine Gesundheit wiedererhalten habe,
das ihr hier neben mir stehen seht.
Nun ist sie freigeboren, wie ich es bin.
Da rät mir mein ganzes Herz,
daß ich sie zum Weibe nehme.
Gott gebe, daß es euch gefalle;
dann will ich sie zur Frau haben.
Wenn es aber nicht sein kann,
dann will ich unbeweibt sterben;
denn Ansehen und Leben
habe ich ihr zu verdanken.
Bei unseres Herren Huld
will ich euch alle bitten,
daß ihr zustimmt.«
  Da sprachen sie alle zugleich,
Arme und Reiche,
es geschähe mit Fug und Recht.

dâ was pfaffen genuóge,
die gâben si im ze wîbe.
nâch süezem lanclîbe
dô besâzen sî gelîche
1540 daz êwige rîche.
alsô müeze ez uns allen
ze jungest gevallen.
den lôn, den sî dâ nâmen,
des helfe uns got. âmen.

Genug Priester waren dort zugegen,
die gaben sie ihm zum Weibe.
Nach einem langen seligen Leben
bewohnten sie beide zugleich
das ewige Reich.
So möge es uns allen
am Ende zufallen.
Der Lohn, den sie erhielten,
zu dem helfe uns Gott. Amen.

NB ✧

Über das Leben Hartmanns von Aue wissen wir nur
das, was er selbst in seinen Werken von sich sagt. Er
rühmt sich, daß er *an den buochen* lesen konnte, d. h.,
daß er eine gelehrte Schulbildung genossen hat. Er ist
Dienstmann (Ministeriale) eines alemannischen Herrn
von Aue gewesen, dem er innig zugetan war und dessen
Tod ihn tief erschüttert hat. Er hat an einem Kreuz-
zug teilgenommen; wahrscheinlich war es der Zug
Friedrich Barbarossas 1189/90, bei dem der Kaiser den
Tod fand. Hartmann wird um 1160 geboren, nach
1210 gestorben sein. Mehr können wir nicht aussagen.
Um so klarer und leuchtender erscheint das Bild seiner
dichterischen Persönlichkeit in seinen Werken und in
dem Ruhm, den er bei seinen Zeitgenossen und Nach-
fahren errungen hat. Er wird — weit mehr als Heinrich
von Veldeke — als der erste große deutsche Dichter der
hochhöfischen Zeit gepriesen. Sein dichterisches Werk
ist vielseitig, es umspannt Lyrik und Epik, Ritter-
roman, Legende und theoretische Abhandlung. Vor-
bildlich ist er schon in der Stoffwahl: er übersetzt die
Romane »Erec« und »Iwein«, Werke Chrestiens von
Troyes, des Schöpfers des französischen Artusromans,
und eröffnet damit dieser modernen Gattung den Weg
nach Deutschland. Bewundernd rühmt Gottfried von

Straßburg seine *cristallinen wortelin*, d. h. die kristall-
klare Durchsichtigkeit und Geschliffenheit seines Stils,
die ihn zum Vorbild einer ganzen »Hartmann-Schule«
des späteren Mittelalters gemacht hat. In seinem sicher-
lich frühen ›Büchlein‹, einem Streitgespräch zwischen
dem Leib, dem Sitz des behaglichen Daseinsgenusses,
und dem Herzen, dem Träger des nach Minne streben-
den Bemühens, tritt er als erster deutscher Theoretiker
der neuen höfischen Weltmacht »Minne« auf. Mit Hein-
rich von Veldeke, Friedrich von Hausen und Heinrich
von Morungen gehört er zu den Begründern des hohen
Minnesangs. Er ist dabei der erste, der die Forderung
auf Gegenseitigkeit der Minne zu erheben wagt; er
lehnt sich gegen das hoffnungslose Dienen um die Gunst
einer hohen Dame auf und droht im Sinne des Lehens-
dienstes Gleiches mit Gleichem, Ungnade mit Auf-
kündigung des Minnedienstes zu vergelten. In einem
Aufruf zum Kreuzzug sagt Hartmann endlich der
Minne selber ab, um sich ganz der Liebe zu Gott hin-
zugeben, der allein in wirklicher Gegenseitigkeit die
ihm dargebrachte Liebe erwidert. Seine Kreuzlieder
sind Ausdruck der tiefsten Verpflichtung des Ritters zu
Gottes Dienst im heiligen Lande.

Auch in seinen epischen Werken behandelt Hartmann
die immanente Problematik der Minne, wie sie be-
sonders dem Artusritter immer wieder entgegentreten
kann: die Gefahr des müßigen, den Forderungen der
ritterlichen Welt abgewandten Genusses der Minne im

›Erec‹, die Verlockung zu artusritterlichem Abenteuer-
leben unter Vernachlässigung der aus einer solchen
Minnebeziehung erwachsenden Pflichten im ›Iwein‹
und ihre Überwindung durch ritterliche Tat im Dienste
der Bedrängten. Die große bewegende Frage des höfi-
schen Mittelalters, ob man *got und e der werlt geval-
len* könne, stellt sich ihm in jedem Werk von neuem —
und wird jedesmal anders beantwortet. Die Skala reicht
von dem freudigen Optimismus des Erstlingsromans
›Erec‹, daß ein nach den Geboten höfischer Sittlichkeit
geführtes Leben notwendig Gottes Huld erringt, bis
zu der völligen Weltabsage in dem Legendenroman
von Gregorius, dem *guoten sündære,* dem schuldlos
Schuldigen, der aus den Verstrickungen der sündigen
Welt durch Reue und Buße zur Gnade findet. Dabei
bleibt Hartmann indessen nicht stehen. In seinem letz-
ten Werk, dem ›Iwein‹, sehen wir ihn wieder der höfi-
schen Welt zugewendet, ohne daß er die Frage nach
ihrer Hinfälligkeit und Bedrohtheit auch nur stellt.
Eine erstaunliche Wendung. Auch die Erzählung vom
›Armen Heinrich‹, deren Entstehung zeitlich zwischen
dem ›Gregorius‹ und dem ›Iwein‹ liegen wird, kann
sie nicht völlig verständlich machen, wiewohl gerade
der Schluß, die Rückkehr Heinrichs in die ritterlich-
höfische Welt, Licht auf Hartmanns Conversio werfen
könnte.

Die Minne, oder wenigstens ihre hochhöfische Ausprä-
gung, gehört auch im ›Armen Heinrich‹ anscheinend

ganz zur Diesseitigkeit der Welt, über der der Schatten der Vergänglichkeit liegt. *Media vita in morte sumus* — mitten im Leben sind wir vom Tod umfangen: das bewahrheitet sich an dem glänzenden Ritter Heinrich. Er ist von hoher Geburt, reich, unabhängig, allen Freuden der Welt offen, ein gütiger Herr seiner Untergebenen, ein begabter Minnesänger, ein Idealbild und Prototyp ritterlichen Wesens. Und dennoch oder gerade deshalb trifft ihn der härteste Schlag. Der Aussatz macht ihn ärmer als jeden Bettler und stößt ihn in tiefste Verzweiflung. Aus dem stolzen Ritter Heinrich wird der arme Heinrich, der Mensch in seiner Verlorenheit. Der Welt und sich selbst widerwärtig, verläßt er alles, was er besitzt, und flüchtet sich zu einem Bauern, der einen seiner Pachthöfe bewirtschaftet. Hier — in der ihm bisher fremden und fernen Welt bäuerlichen Lebens — erfährt er menschliche Barmherzigkeit über die ständischen Grenzen fort und wird beglückt durch die liebevolle Zutraulichkeit der kleinen Tochter des Bauern, die er an sich gewöhnt, mit kindlichem Tand beschenkt und zärtlich seine »Braut« nennt. Aber der arme Heinrich ist weit davon entfernt, sich in sein Schicksal zu ergeben. Ungleich Hiob, dem Vorbild christlicher Geduld in Leid und Anfechtung, hadert er mit seinem Geschick. Was könnte ihn retten? Nur das freiwillige Opfer einer Jungfrau, die bereit wäre, ihr Herzblut für ihn hinzugeben, so hat ihm ein Arzt in Salerno, der Hochburg der medizinischen Wissenschaft, versichert. Damit ist jede Hoffnung auf Heilung sinnlos; denn wer gäbe freiwillig sein Leben für einen anderen hin? Durch Zufall erfährt das Mädchen, inzwischen dem Kindesalter entwachsen, von dieser Möglichkeit der Heilung für ihren geliebten Herrn. Und nun schlägt ihre große Stunde. Sie entschließt sich, ihr junges Leben der Gesundheit ihres Herrn zu opfern. Man könnte geneigt sein, darin eine Äußerung unbewußter Liebe zu sehen; aber das Mädchen will anderes und mehr. Durch ihr Opfer will sie mit der Genesung des Aussätzigen zugleich für sich das ewige Leben erwerben. Dieses Verlangen gibt ihr auch die souveräne Beredtheit, die sie in den nächtlichen Gesprächen mit ihren Eltern zeigt. Von dem kindlichzutraulichen »Bräutchen« des kranken Herrn Heinrich hin zu der todesbereiten Seele, die nach Gott verlangt, gibt es keine psychologische Brücke, keine »Entwicklung«, die das Wunder der inneren Wandlung verständlich machen könnte, wie mittelalterliche Dichtung überhaupt zwar seelische Situationen zu erfassen, aber kaum je seelische Entwicklungen analysierend darzustellen vermag. Zur Märtyrerin wird das Bauernmädchen deshalb dennoch nicht. Sie will ja ihr Leben nicht allein zum Ruhme Gottes, sondern für die Rettung einer bestimmten Person hingeben, die ihrem Herzen nahesteht. So bleibt denn doch die Frage offen, ob nicht Liebe zu einem Menschen und zu Gott hier heimlich zusammenfließen; aber darüber liegt der Schleier des Geheimnisses, an den man nicht rühren sollte. In ihren großen Redeszenen jedenfalls ist sie ganz den Freuden des ewigen Lebens zugewandt. Das Leben in der Welt sieht sie allein als Bedrohung des Heils ihrer Seele an. Ob vorteilhafte oder unvorteilhafte Eheschließung, Mühe und Verdruß erwarten sie auf jeden Fall, und die einzige Gewißheit des Lebens ist der Tod. Und ist nicht auch Leben und Wohlstand ihrer Eltern nur durch die Gesundung des gütigen Herrn Heinrich gesichert? Das Himmelreich hingegen, als eine »bäuerliche« Seligkeit ausgemalt, ist das einzig erstrebenswerte Ziel.

Die Eltern müssen sich staunend und ehrfurchtsvoll der Entschlossenheit ihrer Tochter beugen, und auch Heinrich meint, das Opfer annehmen zu können, um sich, wieder gesundet, der Welt zuzuwenden — bis ihn die Schönheit der Welt selbst, die sich ihm in dem nackten Körper des Mädchens offenbart, das er durch einen Spalt in der Wand auf dem Operationstisch liegen sieht, zur Umkehr zwingt. Sie ist so *wünneclich*, daß er sie nicht sterben lassen kann. Er gewinnt einen *niuwen muot*, aus dem ihm die Einsicht erwächst, daß es töricht ist, sich dem entziehen zu wollen, was Gott über ihn verhängt hat. Auch bei Heinrich scheinen religiöse und minnigliche Impulse geheimnisvoll ineinander verschmolzen zu sein. So plötzlich und ohne psychologische Motivierung wie der Entschluß des Mädchens zum Opfertod ist auch seine innere Wandlung eingetreten. Damit hat er die Stufe Hiobs erreicht und ist bereit zu geduldigem Leiden.

Als das Mädchen hört, daß sie nicht sterben darf, beweist sie durch ihre Reaktion, wie ernst ihr Entschluß zum Tode gewesen ist. Sie weint und schilt und kann sich in ihrer Verzweiflung nicht fassen. »Wenn Ihr es aus Treue unterlaßt, so ist das ein törichter Entschluß«, sagt sie abschließend, »für den Euch Gott nicht lohnen wird. Denn das ist zuviel der Treue.« Genau dasselbe, nämlich ein Übermaß der Treue, war dem Mädchen von seinem Vater vorgehalten worden, als es sich entschlossen hatte, sein Leben zu opfern. Und gerade dieses »Zuviel«, nach menschlichen Maßstäben gemessen, sieht Gott gnädig an. Er hat ihrer beider *triuwe* und *bärmde* (Barmherzigkeit) erkannt und läßt das Wunder geschehen: der Ritter Heinrich wird wieder gesund und dazu noch schöner und jünger als zuvor.

Hartmanns ›Armer Heinrich‹ ist trotz der Stilisierung der gotterfüllten Reden des Mädchens nach dem Typus der Märtyrerlegende und trotz des Wunders als Gipfel der Erzählung keine Legende. Und darum kann das Geschehen auch ganz unlegendär weitergehen und zum Abschluß geführt werden. Heinrich kehrt in sein altes Leben zurück, reicher noch an Gut und Ehre. Doch er vergißt nicht mehr, an Gott als den Spender und Erhalter all dessen zu denken, was ihm wieder zuteil geworden ist. Ja, er ist entschlossen, seine neue Beziehung zu Gott und der Welt durch seine Ehe mit der Meierstochter zu manifestieren, der er *êre* und *lîp* zu verdanken hat. Man muß sich klar sein, was dieser Entschluß in der streng geregelten ständischen Ordnung des Mittelalters bedeutete. Aber Gott bestätigt diesen Entschluß; er schenkt beiden ein langes glückliches Leben und nach ihrem Tode das ewige Reich. Ein Märchenschluß? Mehr als das. Das Wunderbare ist eingetreten, bewirkt hat es jedoch die autonome sittliche Entscheidung zweier Menschen, von denen jeder etwas tun wollte, was der »Welt« unverständlich sein mußte: er wollte sein Leben für den anderen hingeben.

Scheinbar ist die Welt wieder in ihre alten Rechte eingetreten. Aber wieviel trennt das frühere, »naive« Weltleben und das neue, »gottbewußte« Dasein des vom Aussatz Geheilten! So erhält Heinrichs altes und zugleich neues Dasein in der ritterlichen Welt eine Weihe durch den Entschluß Gottes, es ihm als irdisch gemäße Daseinsform noch einmal zu gewähren.

Die Quelle zum ›Armen Heinrich‹ kennen wir nicht. Im Prolog gibt Hartmann an, er habe die Erzählung *(rede)* nach langem Suchen in Büchern gefunden. Man hat in erster Linie an eine lateinische Vorlage gedacht, möglich wäre auch eine französische. Der »gelehrte« Ritter Hartmann konnte beide Sprachen lesen. Diese Vorform ist bis jetzt nicht aufgefunden worden. Einzelne Motive, die Hartmann benutzt hat, sind auch anderweit bekannt. Daß unschuldiges Blut den Aussatz heilen könne, war eine allgemeine Vorstellung des Mittelalters. So soll der römische Kaiser Konstantin durch das (unfreiwillig) dargebrachte Blut unschuldiger Kinder vom Aussatz befreit werden. Er verzichtet freiwillig und wird dafür von Papst Sylvester auf wunderbare Weise geheilt (Sylvesterlegende). In Konrad von Würzburgs ›Engelhard und Engeltrud‹ (letztes Drittel des 13. Jahrhunderts) tötet ein Vater seine eigenen Kinder, um durch ihr Blut seinen Freund vom Aussatz zu heilen. Die Kinder werden durch Gottes wunderbares Eingreifen wieder zum Leben erweckt. Beide Erzählungen teilen mit dem ›Armen Heinrich‹ den glückhaften Schluß durch ein göttliches Wunder. In beiden spielt ein freiwilliges Opfer eine Rolle, im Sylvester wie im ›Armen Heinrich‹ der Verzicht des Kranken auf die Heilung, im ›Engelhard‹ die Liebestat eines Freundes für den anderen. In beiden ist endlich Unschuld die Voraussetzung für die Wirksamkeit des geopferten Blutes. Aber in beiden sind die Opfer selbst unbeteiligt; nur bei Hartmann ist es die freigewählte Tat liebenden Erbarmens. Und darin möchte man Hartmanns eigenste Leistung sehen.

Am nächsten verwandt mit dem ›Armen Heinrich‹ sind zwei lateinische Predigtmärlein aus Handschriften des 14. bzw. 15. Jahrhunderts. Ein Ritter, der in der einen Fassung *Albertus pauper,* in der anderen aber *Henricus pauper* genannt wird, nimmt das freiwillige Angebot eines Bauernmädchens, für die Heilung des

Ritters vom Aussatz sein Leben hinzugeben, nicht an, und er wird durch ein Wunder geheilt. Hier allein ist wie bei Hartmann die freie Entscheidung dessen, der das Opfer anbietet, und dessen, der es nicht annimmt, miteinander verknüpft. Ein Zusammenhang mit Hartmanns Gedicht ist unverkennbar. Wer diese Vertiefung und Abrundung des Erzählstoffes für Hartmanns Eigentum hält, wird annehmen müssen, daß die beiden lateinischen Exempel unmittelbar oder mittelbar von Hartmanns Gedicht abhängig sind und es auf den knappen Referatstil eines Exemplum reduziert haben. Kompliziert wird die Quellenfrage durch die Tatsache, daß der Ritter Heinrich als ein Angehöriger des Geschlechtes derer von Aue, der Herren Hartmanns, bezeichnet wird. Es ist schwer denkbar, daß Hartmann die Geschichte einer nach mittelalterlichen Rechtsbegriffen schwer belastenden Mißheirat mit dem freiherrlichen Geschlecht seines Dienstherren ohne besonderen Anlaß verknüpft hätte. Sollte Hartmann wohl im Auftrage der Familie eine ständisch gesehen peinliche Familientradition, die an einen sagenhaften Vorfahren geknüpft war, dichterisch glorifiziert haben?

Die Auffassung des Mittelalters von Wesen und Aufgabe des Dichters unterscheidet sich grundlegend von der unserer Zeit. Es wurde von ihm keine neue Erfindung oder individuelle Gestaltung eines Stoffes erwartet, die, wie Gottfrieds heftiger Tadel an Wolframs dichterischer Eigenwilligkeit zeigt, nicht Ruhm, sondern Vorwurf war. Aufgabe des Dichters ist die Formung eines vorgegebenen Stoffes, Wahrzeichen des Dichters die formale Meisterschaft. Auch Hartmann hat in Büchern gesucht, um einen geeigneten Stoff zu finden, und er gibt einleitend darüber Rechenschaft.

Wir haben Gottfrieds bewunderndes Wort von den *cristallinen wortelîn* an den Anfang gestellt. Das Ideal höfischer Zucht spiegelt sich in der Formzucht des Hartmannschen Verses. Den reinen Reim — der damals etwas Neues war —, den schmiegsamen Fluß des streng geregelten Verses beherrscht Hartmann wie keiner vor ihm. Er ist der große Meister des Unauffälligen und Hellen; sein Vers ist nicht elegant, nicht virtuos, er ist im besten Sinne klassisch. Nichts Zackiges, Aufdringliches, Regelloses darf die sanfte Harmonie stören, keine gesuchten Bilder, seltenen Wörter, virtuosen Form- und Reimspiele die Klarheit trüben. Diese Hülle harmonischer Schönheit ist auch über den Stoff des ›Armen Heinrich‹ gebreitet, der mit dem Aussatz des Ritters und der bäuerlichen Umwelt Möglichkeiten zu realistischer Charakterisierung geboten hätte. Aber Hartmann suchte nicht das Charakteristische, sondern das Schöne. Eine einzige Zeile spricht von dem Aussatz des Ritters, und das peinliche Wort *miselsuht* kehrt in dem ganzen Gedicht nicht wieder. Die Mühsal bäuerlichen Daseins wird nur in der Rede des Mädchens als Kontrast zu den Freuden des Himmels sichtbar. Die

Sprache der Bauern ist mit den Mitteln und Formen höfischer Redeweise stilisiert; ganz diskret klingt nur gelegentlich in den Worten des Vaters einmal etwas Volkstümlicheres an.

Ein Werk von so hoher und eigentümlich mittelalterlicher Stilisierung ist nicht wirklich übersetzbar. Mittelhochdeutsche Texte sind nur scheinbar leicht zu verstehen, weil die Wörter dem Neuhochdeutschen mehr oder weniger gleichen. Aber hinter ihnen steht eine andere Welt, und sie bestimmt den Sinngehalt der Wörter. Man kann versuchen, ein neuhochdeutsches Äquivalent zu finden, das den Sinn einigermaßen ausdrückt. Aber man muß sich klar sein, daß man damit vergröbert, weil man die feineren Nuancen und die mitschwingenden Untertöne nicht einfängt, die die Zeitgenossen selbstverständlich hörten, die wir zu hören aber erst langsam wieder lernen müssen.

Die beigegebene Übersetzung will reine Verständnishilfe sein. Sie will ganz nahe am Text bleiben und möglichst Zeile gegen Zeile setzen. Sie wirkt neben dem Original stumpf und ohne Leuchtkraft; denn je genauer man sein will, um so mehr muß man auf allen poetischen Glanz verzichten, um nicht modern zu verfälschen. Auch metaphorische Wendungen, die in der heutigen Sprache nicht mehr lebendig sind, wurden wörtlich beibehalten, um das Wort des Textes nicht preiszugeben. Und ebenso lassen sich die Satzgefüge der weit schmiegsameren mittelhochdeutschen Syntax nur schwer nachzeichnen. Wer die Sätze nicht auflösen und neuhochdeutsch umschmelzen will, muß eine gewisse Schwerfälligkeit und Umständlichkeit in Kauf nehmen, die sie im Mittelhochdeutschen und zumal in dem flüssigen Stil Hartmanns gewiß nicht haben. Ich habe auch das nicht gescheut, um die Satzzusammenhänge des Originals erfaßbar zu machen. Gelesen will der mittelhochdeutsche Text sein; zu der Übersetzung soll das Auge nur abschweifen, wenn der Text nicht verstanden wird. Je weniger sie beachtet zu werden braucht, um so zufriedener wird sie sein.

Helmut de Boor

Die Überlieferung des ›Armen Heinrich‹ ist ungünstig. Wir besitzen nur drei späte Handschriften des 14. Jahrhunderts und zwei kleine Bruchstücke:

   A die Straßburger Handschrift

   B die Heidelberger Handschrift (Cod. Pal. 341)

   K die Kalozcaer Handschrift

   C die Bruchstücke aus St. Florian

   D die Bruchstücke aus Indersdorf

Die Straßburger Handschrift ist 1870 verbrannt. Wir kennen sie nur aus dem unzuverlässigen Abdruck, den Christoph Heinrich Myller 1784 nach einer Abschrift von Bodmer und Breitinger veranstaltet hat. Die Handschriften B und K sind fast wörtlich gleiche Abschriften einer großen, um 1300 in Böhmen zusammengestellten Sammlung kleiner erzählender und lehrhafter Gedichte. B und K vertreten praktisch nur eine Handschrift.

A und B weichen im Text weit voneinander ab. Jede Handschrift enthält Versreihen, die der anderen fehlen, ganze Textstellen sind in den Handschriften verschieden angeordnet, und im Wortlaut weichen sie fast Zeile um Zeile voneinander ab; nur die Reimwörter sind fast durchweg unangetastet geblieben. Mit Recht gilt die Straßburger Handschrift als die zuverlässigere, während B den Eindruck erweckt, als sei sein Text durch eine längere Zeit mündlichen Vortrages gegangen und nach diesem neu aufgezeichnet und redigiert worden. Die beiden Fragmente sind nur klein. Das Indersdorfer Bruchstück, das ebenfalls erst dem 14. Jahrhundert angehört, bietet 117 z. T. verstümmelte Verse (1266—1372), das sehr frühe und gute, aus dem Anfang des 13. Jahrhunderts stammende Bruchstück aus St. Florian enthält nur 61 Verse und Versreste.

Wir stützen unsere Ausgaben auf A. Aber auch diese Handschrift ist spät und unzuverlässig. Die Fragmente belehren uns darüber, daß im einzelnen auch B den besseren Text haben kann, und auch sonst hat man nicht selten den Eindruck, daß B das Richtige bieten oder auf einer richtigeren Textform beruhen könnte. Doch ohne die Stütze an einer dritten Handschrift ist darüber keine Sicherheit zu gewinnen. So müssen wir uns darüber klar sein, daß wir das Werk in vielen Einzelheiten nicht so wiederherstellen können, wie Hartmann von Aue es gedichtet hat.

Der Text ist unter ständiger Vergleichung mit den früheren, im Literaturverzeichnis aufgeführten Ausgaben und mit der handschriftlichen Überlieferung hergestellt. Die Sprache ist nach den für unsere klassischen Texte gültigen Regeln normalisiert, d. h. der mundartlichen Eigenheiten und der Schreibgewohnheiten der Schreiber entkleidet. Die Handschriften kennen keine Interpunktion. Zum leichteren Textverständnis

habe ich die Zeichensetzung über das sonst bei mittel-
hochdeutschen Textausgaben Übliche hinaus der mo-
dernen Gewohnheit angepaßt.

Helmut de Boor

BIBLIOGRAPHISCHE HINWEISE

Ausgaben

Aus den zahlreichen Ausgaben führe ich nur an:
DER ARME HEINRICH VON HARTMANN VON DER AUE Aus der Straßburgischen und Vatikanischen Handschrift hrsg. und erklärt durch die Gebrüder Grimm. Berlin 1815 (Mit Nacherzählung in Prosa). – DIE WERKE HARTMANNS VON AUE Bd. 5: Der arme Heinrich. Hrsg. von Hermann Paul. Halle 1882. 13., durchges. Aufl., bes. von Ludwig Wolff. Tübingen 1966 (Altdt. Textbibl. 3). – HARTMANN VON AUE Der arme Heinrich. Überlieferung u. Herstellung, hrsg. von Erich Gierach. 2., verb. Aufl. Heidelberg 1925 (German. Bibl. III, 3). – HARTMANN VON AUE Der arme Heinrich. Nebst einer Ausw. aus der »Klage«, dem »Gregorius« und den »Liedern«. Hrsg. von Friedrich Maurer. Berlin ²1968 (Slg. Göschen. 18). – HARTMANN VON AUE Der arme Heinrich. Mit einer Nacherzählung der Brüder Grimm. Hrsg. von Friedrich Neumann. Stuttgart 1960, Nachdruck 1964 (Reclams Univ.-Bibl. 456).

Die lateinischen Predigtmärlein:
JOSEPH KLAPPER Die Legende vom armen Heinrich. Wiss. Beilage zum Bericht der Oberrealschule zu Breslau. Ostern 1914 (Text: S. 21–23).

Dazu:
FRANZ SARAN Das Übersetzen aus dem Mittelhochdeutschen. Eine Anleitung für Studierende, Lehrer und zum Selbstunterricht. 2. neubearb. Aufl. von Bert Nagel. Halle 1953 (Enthält auf S. 34–59 eine Prosaübersetzung des ›Armen Heinrich‹).

Neuere Literatur zum ›Armen Heinrich‹
FRANZ BEYERLE Der »Arme Heinrich« Hartmanns von Aue als Zeugnis mittelalterlichen Ständerechts. In: Kunst und Recht. Festgabe für Hans Fehr. München 1948. S. 27–46. – HELMUT DE BOOR Hartmann von Aue »Der arme Heinrich«. Vers 390 f. In: Beitr. zur Gesch. d. deutschen Sprache und Literatur 84 (1962). S. 474–476. – Dazu: FRIEDRICH NEUMANN Nochmals »Armer Heinrich« Vers 390/91. In: Beitr. zur Gesch. d. dt. Sprache u. Lit. 85 (1963). S. 315–324. – TIMOTHY BUCK Hartmanns »Reine maget«. In: GLL 18 (1964/65). S. 169–176. – CHRISTOPH CORMEAU Hartmanns von Aue »Armer Heinrich« und »Gregorius«. Studien zur Interpretation mit dem Blick auf die Theologie zur Zeit Hartmanns. München 1966 (Münchener Texte und Unterss. z. dt. Lit. d. MA 15) (Zugleich Diss. München). – DIETER CZINCZOLL Eine textkritische Anmerkung zu Hartmanns »A. H.« In: Zeitschr. f. dt. Philologie 85 (1966). S. 94–97. – ROLF ENDRES Heinrichs »hôchvart«. In: Euphorion 61 (1967). S. 267-94. – WERNER FECHTER Über den »Armen Heinrich« Hartmanns von Aue. In: Euphorion 49 (1955). S. 1–28. – JEAN FOURQUET Zum Aufbau des »Armen Heinrich«. In: Wirkendes Wort 11 (1961), 3. Sonderh. S. 12–24. – KLAUS HUFELAND Quantitative Gliederung und Quellenkritik aufgezeigt an Hartmanns Verserzählung »D. a. H.« In: Wirkendes Wort 17 (1967). S. 246–263. – GÜNTHER JUNGBLUTH Zum »Armen Heinrich«: v. 225/447. In: German.-Roman. Monatsschrift 36 (1955). S. 263–265. – ERICH KAISER Das Thema der unheilbaren Krankheit im »Armen Heinrich« Hartmanns v. A. und im »Engelhard« Konrads von Würzburg und weiteren mhd. Gedichten. Diss. Tübingen 1965. – CARL VON KRAUS Armer Heinrich VS. 225. 447. In: Zeitschrift für dt. Altertum u. dt. Literatur 82 (1948/50). S. 73–76. – D. A. McKENZIE Hartmanns »Der Arme Hein-

rich«. Some Explications and a Theory. In: Modern Language Quarterly 11 (1950). S. 472–475. – ESTELLE MORGAN A Source for »Der arme Heinrich«. In: Notes and Queries N.S. 11 (1964). S. 209–210. – BERT NAGEL Der Arme Heinrich Hartmanns von Aue. Eine Interpretation. Tübingen 1952 (Handbücherei d. Deutschkunde. 6 [a]). – FRIEDRICH NEUMANN Der Arme Heinrich in Hartmanns Werk. In: Zeitschrift für dt. Philologie 75 (1956). S. 225–255. – Ders., Lebensalter im ›Armen Heninrich‹ Hartmanns von Aue. In: Festschrift für Ludwig Wolff zum 70. Geburtstag. Neumünster 1962. S. 217–239. – HANS POLLAK Zu Hartmanns »reiner maget«. In: Germanisch-Romanische Monatsschrift N. F. 16 (1966). S. 207–208. – FRIEDRICH RANKE Mhd. vribaere ›frei im Entschluß, freiwillige‹. In: Zeitschrift für dt. Altertum u. dt. Literatur 79 (1942). S. 178–179. – HANNS-FRIEDRICH ROSENFELD »Der arme Heinrich« v. 1010. In: Zeitschr. für deutsch. Altertum 95 (1951) S. 169–182. – ARNO SCHIROKAUER Zur Interpretation des Armen Heinrich. In: Zeitschrift für dt. Altertum u. dt. Literatur 83 (1951). S. 59–78. – Ders., Die Legende vom Armen Heinrich. In: German.-Roman. Monatsschrift 33 (1951/52). S. 262–268. – LESLIE SEIFFERT The Maiden's Heart. Legend and Fairy-tale in Hartmanns »D. a. H.« In: Deutsche Vierteljahrschrift 37 (1963). S. 384–405. – OTTO SPRINGER On Hartmann von Aue »Der arme Heinrich‹ v. 1010. In: Taylor Starck Festschr. Ed. by Werner Betz, Evelyn S. Coleman, Kenneth Northcroft. The Hague. London. Paris 1964. – TH. C. VAN STOCKUM Eine crux philologorum: Die prognostisch-therapeutische Formel im »Armen Heinrich« d. Hartmann von Aue. In: Neophilologus 48 (1964). S. 146–150. – H. BERNHARD WILLSON Symbol and Reality in »Der Arme Heinrich«. In: The Modern Language Review 53 (1958). S. 526–537. – Ders., Marriageable in d. »A. H.«. In: Moderne Philology 64 (1966/67). S. 95–102.

Wichtigste Allgemeinliteratur zu Hartmann von Aue

BERTHA SCHWARZ Hartmann von Aue. In: Die deutsche Literatur des Mittelalters. Verfasserlexikon. Bd. 2. Berlin und Leipzig 1936. Sp. 202–216. – FRIEDRICH NEUMANN Hartmann von Aue. Ebenda. Bd. 5: Nachträge. Berlin 1955. Sp. 322–331. – HELMUT DE BOOR Die höfische Literatur. Vorbereitung, Blüte, Ausklang. 1170–1250. 5. Aufl. München 1961 (Geschichte d. Literatur von den Anfängen bis zur Gegenwart von Helmut de Boor u. Richard Newald. 2). S. 67–84. – GUSTAV EHRISMANN Geschichte der deutschen Literatur bis zum Ausgang des Mittelalters. Tl. 2: Die mittelhochdeutsche Literatur. 2: Blütezeit. I. Hälfte. München 1927 (Handbuch des dt. Unterrichts an höheren Schulen. 6, 2. Abschn. 2, 1). – FRIEDRICH MAURER Hartmann von Aue. In: Die großen Deutschen. Deutsche Biographie. Bd. 5. Berlin 1957. S. 48–56. – FRIEDRICH NEUMANN Wann dichtete Hartmann von Aue? In: Studien zur deutschen Philologie des Mittelalters. Friedrich Panzer zum 80. Geburtstag am 4. IX. 1950 dargebracht. Hrsg. von Richard Kienast. Heidelberg 1950. S. 59–72. – HENDRICUS SPARNAAY Hartmann von Aue. Studien zu einer Biographie. 2 Bde. Halle 1933–1938. – JULIUS SCHWIETERING Die deutsche Dichtung des Mittelalters. Potsdam [1941] (Handbuch der Literaturwissenschaft). S. 148–160. – HENDRICUS SPARNAAY Brauchen wir ein neues Hartmannbild? In: Deutsche Vierteljahrsschrift 39 (1965). S. 639–649. – PETER WAPNEWSKI Hartmann von Aue. 3. ergänzte Aufl., Stuttgart 1967 (Realienbücher für Germanisten. Slg. Metzler. Abt. Literaturgeschichte).

INHALT

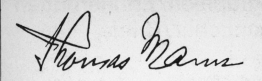

**Fischer
Taschenbücher**

Biographien/Erinnerungen Tagebücher/Briefe

Irma Brandes
Caroline
Lebensbild der Romantik
Ein biographischer Roman
um Caroline Schlegel-
Schelling, Bd. 2031

Max Brod
Über Franz Kafka
Bd. 1496

Gottfried Benn
Briefe an F. W. Oelze
1932–1945, Bd. 2187

Gottfried Bermann-Fischer
Bedroht, bewahrt
Weg eines Verlegers
Bd. 1169

Günter Blöcker
Heinrich von Kleist
oder Das absolute Ich
Bd. 1954

»Atze« Brauner
Mich gibt's nur einmal
Stars, Stories, Sensationen
aus der Welt des Films
Bd. 1945

Günter de Bruyn
Das Leben des Jean Paul
Friedrich Richter
Bd. 2130

Margarete Buber-Neumann
Die erloschene Flamme
Schicksale meiner Zeit
Bd. 2073

Elias Canetti
Die Provinz des Menschen
Aufzeichnungen 1942–1972
Bd. 1677

Pablo Casals
Licht und Schatten auf
einem langen Weg
Erinnerungen, aufgezeichnet
von Albert E. Kahn
Bd. 1421

Charles Chaplin
Die Geschichte meines
Lebens, Bd. 1836

Max Colpet
Sag' mir wo die Jahre sind
Erinnerungen eines unver-
besserlichen Optimisten
Bd. 1948

Alfred Einstein
Mozart
Sein Charakter – sein Werk.
Mit 99 Notenbeispielen
Bd. 2039

Franz Kafka
Das Kafka-Buch
Eine innere Biographie in
Selbstzeugnissen.
Hrsg.: Heinz Politzer.
Originalausgabe, Bd. 708

Lion Feuchtwanger
Goya oder Der arge Weg
der Erkenntnis
Bd. 1923

Anne Frank
Das Tagebuch der
Anne Frank
Bd. 77

Hans Gal
Johannes Brahms
Leben und Werk
Bd. 2222 (März '80)

Fischer
Taschenbücher

Fischer Bibliothek

Luise Rinser
Geh fort wenn du kannst
Novelle. Mit einem Nachwort
von Hans Bender.

Septembertag
Mit einem Nachwort von
Otto Basler.

Antoine de Saint-Exupéry
Nachtflug
Roman. Mit einem Vorwort von
André Gide und einem
Nachwort von
Rudolf Braunburg.

Paul Schallück
Die unsichtbare Pforte
Roman. Mit einem Nachwort
von Wilhelm Unger.

Arthur Schnitzler
Traumnovelle
Mit einem Nachwort von
Hilde Spiel.

Leo N. Tolstoi
Der Tod des Iwan Iljitsch
Erzählung. Mit einem Nachwort
von Nonna Nielsen-Stokkeby.

Jakob Wassermann
Der Aufruhr
um den Junker Ernst
Erzählung. Mit einem Nachwort
von Peter de Mendelssohn.

Franz Werfel
Eine blaßblaue Frauenschrift
Mit einem Nachwort von
Friedrich Heer.

Thornton Wilder
Die Brücke von San Luis Rey
Roman. Mit einem Nachwort
von Helmut Viebrock.

Die Frau aus Andros
Mit einem Nachwort
von Jürgen P. Wallmann.

Tennessee Williams
Mrs. Stone und ihr römischer
Frühling
Mit einem Nachwort von
Horst Krüger.

Virginia Woolf
Flush
Die Geschichte eines
berühmten Hundes. Mit einem
Nachwort von Günter Blöcker.

Carl Zuckmayer
Die Fastnachtsbeichte
Mit einem Nachwort von
Alice Herdan-Zuckmayer

Stefan Zweig
Erstes Erlebnis
Vier Geschichten aus Kinder-
land. Mit einem Nachwort
von Richard Friedenthal.

Legenden
Mit einem Nachwort von
Alexander Hildebrand.

Schachnovelle
Mit einem Nachwort
von Siegfried Unseld.

S. Fischer Verlag

Hubert Fichte

S. Fischer